KB045049

일본검신

『일본서기』에서 신영성운동까지

一年間，私に研究と「充電」の機會を提供して頂いたWCRP平和研究所の眞田芳憲所長，佼成學林の篠崎友伸學長，廣中成臣次長，庭野統弘教授をはじめ，いろいろとご協力頂いた學林の皆様と中央學術研究所の藤田浩一郎次長並びに，私の日本滯在中，精神的な案内役となって頂いた中央大學の金永完博士と立正佼 成會の李史好先生に，この場を借りて深甚な謝意を表す。皆様のお蔭で，私は意味深い人生の轉換期を迎えることができた。重ねて心から深く感謝を申し上げる次第である。

일본정신

『일본서기』에서 신영성운동까지

이찬수 지음

도서출판 모시는사람들

서문

작은 다리 하나를 놓으며

그간 박사 논문으로 일본 현대 불교 철학을 다루고, 관련 단행본을 출판하면서(『불교와 그리스도교, 깊이에서 만나다 – 쿄토학파와 그리스도교』, 다산글방, 2003) 일본 사상에 대한 관심은 꾸준히 가지고 있었지만, 일본인의 생생한 문화를 직접 체험할 시간을 제대로 가져 보진 못했다. 종교인 모임이나 학회 등으로 일본을 예닐곱 차례 다녀오기는 했어도, 대체로 철학적이거나 사상적인 데에 치중했을 뿐, 일본 자체를 생생하게 느낄 기회는 많지 않았다. 그 점이 늘 아쉬웠다.

그러던 차에 세계종교인평화회의 평화연구소(WCRP 平和硏究所) 객원연구원 겸 코세이가쿠린(佼成學林) 객원 강사 자격으로 2007년 9

월부터 2008년 8월까지 일 년간 일본에 체류할 기회가 생겼다. 길지 않은 시간이었지만, 돌이켜 보니 비교적 알찬 시간이었다. 강의하고 토론하고 논문 쓰고 각지에서 여러 사람을 만나면서, 다양한 방식으로 일본을 느끼는 시간을 누렸다. 그러면서 일본 종교문화를 소개하는 짧은 글들을 한국의 종교 관련 신문에 연재하기도 했다. (「종교와 평화」, KCRP, 2007. 10~2008. 8); 「금강신문」, 대한불교천태종, 2007. 12~2008. 11) 이 글의 상당 부분은 그 연재문을 재정리하고 보완한 결과이다.

그동안 국내에 일본 종교 관련 문헌들도 여러 권 저술·번역 소개되었지만, 일본 종교문화의 형식과 내용 전반을 짧은 시간 안에 소화할 수 있도록 잘 정리된 책이 있었으면 좋겠다는 생각을 종종 하곤 했다. 무엇보다 간결하고 평이하면서도 사상적 깊이도 느껴지는 책의 출판을 꿈꿨다. 그런데 연재하며 원고가 하나둘씩 모이는 데다, 오래된 카메라, 어설픈 실력이지만 이곳저곳 다니며 손수 찍은 사진들이 쌓이고 보니 그 생각을 구체화시킬 수 있겠다 싶었다. 그런던 차에 도서출판 모시는사람들의 출판 권유에 힘입어 나의 소박한 희망을 주저 없이 실행에 옮겼다.

이 책이 정말 일본 종교문화를 담아 내는 간결하고 평이하고 깊은 책인지 장담하기는 힘들다. 표현을 더 두고두고 삭이거나 내용을 농축시키지 못한 채 다소 성급하게 선보이는 것이 아닌가 하는 느낌도 지울 수 없다. 당연히 부족한 데도 많을 것이다. 그럼에도 불구하고 일본인의 일상적 삶, 종교문화적 분위기, 일본사상사, 한국문화와의 차이 등을 짧은 시간에 두루 조망할 수 있게 해 주는 작은 창문 정도는 될 수 있을 것 같다. 한·일 간을 잇는 작은 다리도 될 수 있을 것 같다. 그렇게 되기를 바라는 마음으로 작은 책을 세상에 내 놓는다. 나아가 문화라는 것 한복판에 종교가 있다는 사실, 그리하여 인간은 누구든 종교라는 것과 무관할 수 없다는 사실까지 독자가 느끼게 된다면 그것은 소기의 목적 이상의 덤이겠다.

지난 일 년간 연구와 충전의 기회를 제공한 WCRP 평화연구소의 사나다 요시아키(眞田芳憲) 소장님, 코세이카쿠린(佼成學林)의 시노자키 토모노부(篠崎友伸) 학장님과 히로나카 시게마사(廣中成匡) 차장님, 니와노 무네히로(庭野統弘) 교수님과 그 외 여러 모로 도움을 주신 가쿠린 관계자 여러분, 그리고 중앙학술연구소의 후지타 코이치로(藤田浩一郎) 차장님과 내 일본 생활의 정신적 안내자가 되어 주신 주오대학(中央大學) 김영완 박사님과 리쇼코세이카이(立正佼成會) 이사호 선생님 외 여러분께 이 기회를 빌어 마음으로부터 깊은 감사를 드린다. 이분들의 배려와 도움으로 쉽지 않았던 내 인생의 전환기를 의미 있게 맞이할 수 있게 되었다. 원고 전체를 읽고 적절한 지적으로 책의 가치를 높여 주신 이상경 목사님과 원영상 박사님께도 감사드린다.

본의 아니게 여러 분께 빚을 지고 살아 왔다. 보잘 것 없는 삶 탓에 그 빚은 여전히 진행 중이다. 어떤 형식이든, 한국과 일본 사이에, 상호 몰이해 속에 처한 종교들 사이에 이해의 다리를 놓으며 사는 것이 내 인생이어야 하리라는 생각이 든다. 그런 식으로 빚을 갚아 나가야 할 도리밖에 없겠다 싶다.

지금 자리에서 일어나 문을 열고 나가면 지난 일 년간 머물렀던 동경의 숙소와 동네 여기저기가 고스란히 펼쳐지고, 길에서, 사무실에서, 이 사람 저 사람을 금세 만날 것 같은 느낌이다.

2009년 8월

이 찬 수

일본정신 『일본서기』에서 신영성운동까지

차 례

일본정신

• • 일러두기

일본어 발음의 한국어 표기법은 다음과 같은 원칙에 따랐다.

1. 장음 표기와 관련하여 복모음이 반복되어 있어서 길게 발음하든 짧게 발음하든 한국인에게는 별반 차이가 느껴지지 않는 경우는 장음 표기를 생략했다.
   예) 규우슈우(九州) →규슈(九州) (cf. 뉴우요오크 →뉴욕)
2. 영어의 'T', 'K' 에 가깝게 발음되는 일본어 초성은 한글 'ㄷ', 'ㄱ' 으로 표기했다.
   예) 토쿄(東京)→도쿄(東京), 카미(神)→가미(神)
3. 고유명사는 원칙적으로 일본어 발음대로 적었다. 한국어에도 익숙해진 전통종교명과 같은 것은 한국식 한자 읽기를 따르되, 인명이나 한국에 아직은 생소한 신종교명 등은 일본어 발음대로 적었다.
   예) 전통종교명 : 조도신슈(淨土眞宗)→정토진종(淨土眞宗), 니치렌슈(日蓮宗)→일련종(日蓮宗), 인명 : 일련(日蓮)→니치렌(日蓮), 신종교명 : 입정교성회(立正佼成會)→릿쇼코세이카이(立正佼成會)

Ⅰ. 일본 종교, 어떻게 볼까

일본의 갓난아이는 저도 모른 채 부모 품에 안겨

신사神社의 신들에게 신고되고, 성인이 되어서는

그리스도교 교회나 교회식으로 꾸민 호텔에서

결혼식을 올리지만, 죽어서는 불교 사찰에 묻힌다.

이런 식으로 특별히 종교적인 행위를 한다는

의식 없이 일상 안에 녹아든 종교적 삶을

자연스럽게 수용하는 이들이 일본인이다.

1.

| 무엇을 어떻게 쓸까 |

한국과 일본, 창조적인 상호 이해를 위하여

간추려 본 한·일 관계

역사적으로나 지리적으로나 한국과 일본은 떼려야 뗄 수 없는 관계 속에 있어 왔다. 실제로 사람들의 생김새, 생활수준 등에서 한국과 가장 가까운 나라는 일본이다. 언어의 문법이나 구조, 종교문화 등 여러 가지 요소를 상당히 많이 공유한다. 고대 한국이 일본에 상당한 수준의 문화를 전해 주면서 자발적인 교류가 시작된 이래, 양국의 문화 간 공유와 관계의 역사는, 때로는 부정적인 차원에서, 때로는 긍정적인 차원에서 끝없이 지속되어 왔다.

도쿄도 소재 고마신사(高麗神社) 입구. 이 신사 안내문에 따르면 고구려가 나당 연합군에 의해 멸망한 뒤 왕족 가운데 일부가 일본으로 이주해 왔다고 한다. 그 고구려 왕족을 모시는 신사가 고마신사이다. 한국과 관련된 신사이다 보니, 드라마 「태왕사신기」의 주인공인 배우 배용준의 브로마이드도 곳곳에 크게 걸어 놓고 있다.

가령 임진왜란(1592~1598) 당시 일본은 한국으로부터 문화재와 기술을 강탈해 가기도 했고, 다시 국교가 열린 후 한국은 약 백여 년에 걸쳐 조선통신사를 파견해 문화와 문물을 전해 주기도 했다. 그러다가 국제 정세에 먼저 눈을 뜬 일본이 힘을 키워 한국을 강제 병합한 뒤에는 한국이 자의반 타의반 일본으로부터 배워야만 하는 상황

임진왜란 당시 일본 무장들이 전과를 확인하기 위해 베어 갔던 조선인들의 코와 귀를 묻은 무덤 (교토 소재)

으로 바뀌었다. 일제 강점기 이후 한국은 일본으로부터 여러 분야에 걸쳐 새로운 기술과 문물을 받아들이면서 한국의 오늘을 구축해 가고 있는 중이라 할 수 있다.

이렇게 중국을 제외하면 역사상 한국과 가장 많은 관계를 맺어 온 나라가 일본이다. 물론 일본 역시 크게 다르지 않다. 적어도 메이지 시대 전후로 일본이 근대화를 주도하기 전까지 한국의 영향력을 제외하고서 일본을 설명하기는 힘들다. 유사 이래 일본 문화 속에 녹아 있는 한국의 크기는 쉽사리 재단되지 않을 만큼 크다고 할 수 있다. 그만큼 양국은 거시적인 차원에서 보면 비슷한 상황과 역사적 농도 속에 처해 있다고 할 수 있다.

근대 일본의 입장 – 아시아를 넘어

물론 양국 간 차이도 크다. 무엇보다 서로에 대한 감정이나 정서가 제법 다르다. 일본의 피식민지 경험으로 인해 한국인은 일본에 대한 반감이 큰 편이다. 그렇

고마신사 안에 걸린 한국 드라마 「주몽」과 「태왕사신기」 포스터. 일본 내 한류는 일본인들에게 한국에 대한 관심의 폭을 넓혀 주었다.

다고 해서 일본인이 한국을 제외한 세계 여러 나라에 대해 잘 아는 것은 아니지만, 일본인의 눈은 대체로 아시아보다는 서구 여러 나라에 초점이 맞추어져 있다. 지역적으로는 아시아에 속하지만, 아시아를 넘어섰거나 아시아에 있어도 특별한 나라라고 생각하는 경향이 있다. 날로 강력해지고 있는 중국 정도가 관심의 대상이랄까. 아시아 국가이면서 아시아에 대해 무관심한 일본의 자세가 아시아인의 눈에는 일종의 교만 내지 허위로 비쳐지지만,* 여러 걸음 양보해 일본 입장에서 긍정적으로 본다면 이해가 안 되는 것도 아니다. 실제로 외국에서, 특히 서양에서 아시아의 긍정적 면모는 일본이 알려 준 경우가 대다수인데다가 아시아의 근대화는 일본에 의해 선도되고, 일본을 통해 해외에 알려졌기 때문이다. 그러니 일본인이 나름대로의 자부심을 갖는 것은 일면 자연스러운 일일 수도 있다.

반감의 깊이에만 머물러서야

한국에도 문제가 없는 것은 아니다. 일본에 의한 피식민 지배 경험으로 인해 한국인은 일본에 대한 반감 차원에만 머물러 있을 때가 많다. 그 반감의 깊이를 일본에 대한 상식의 깊이로 착각하기도 한다. 게다가 일본 문화는 전부 우리가 가르쳐 준 것이라는 과거의 과장된 영화에만 머물러 있을 때가 많다.

그러다 보면 일본 문화에 대한 심리적 자긍심만으로 그것을 한국 문화의 변종이나 아류로 착각함으로써 일본에 대해 공부할 필요성을 느끼지 못하게 될 가능성도 커진다.

마찬가지 이유로, 한국이 일본에 끼친 영향보다 훨씬 더 많은 영향을 중국으로부터 받아왔다고 해서, 한국 문화는 중국 문화의 아류이며 단순한 변종에 지나지 않는다는 평가를 중국인에게 듣는다면 어느 한국인이 좋아하겠으며 또 동의하려 하겠는가.

한국 안에도 한국 고유의 것들이 있듯이 일본에는 일본 고유의 것들이 있다. 고유의 것들이 있기만 할 뿐 아니라 그 수준도 상당히 깊고 넓다. 한국인의 입장에서 보자면, 그것을 열린 마음으로 배우고 다시 한국 안에 소화하는 방식으로 양국의 미래를 열어가야 하는 것이다.

무관심의 넓이, 어떻게 좁힐까

한국의 일본에 대한 반감의 크기에 비해 일본의 한국에 대한 무관심의 농도는 생각보다 진하다. 일본에 머물면서 보통 일본 사람으로부터 "한국에 바다가 있느냐", "한국이 일본에서 가깝냐", "북조선(북한)과 한국이 같은 언어를 쓰느냐" 등 한국인으로서는 납득이 안 갈 만한 질문을 받기도 했다.

보통 일본인의 한국관이라며 쉽게 일반화시킬 수는 없는 경우들이지만, 한국에 대한 일본인의 심리적 거리는 생각보다 멀고 무관심의 폭도 넓다.

물론 한국인 가운데 일본이 네 개의 큰 섬으로 이루어진 나라라는 것을 모르는 사람이 많다는 소리를 일본인이 듣는다면 마찬가지로 황당해할 것이다. 일본인이 한국을 모르는 것에 비하면 한국인은 일본에 대해 좀 더 아는 것 같지만, 사실상 그 상당 부분은 그저 안다고 착각하는 표피적 허상일 때가 많다. 제대로 알 필요가 있는 것이다. 오래 맺어 온 긴밀한 역사에 비해 한·일 양국은 특히 근대 이후 강화된 상호 반감과 무지의 폭이 그다지 좁혀지고 있지 않다. 하지만 양국의 미래를 내다본다면 이러한 실정은 반드시 극복되어야 한다.

그 극복은 제대로 된 상호 이해를 통해서만 가능하다. 미래를 내다보건대 한국인의 일본에 대한 이해는 필수적인 일이 아닐 수 없다. 언제까지 반감 수준에만 머물러 있거나 옛 영화에만 사로잡혀 있을 수는 없는 노릇이다. '일본적 정신(spirit)'에 대한 적절한 지식과 지혜를 쌓고 한국의 역사적 혹은 문화적 상황과 비교해 보며 다양한 분야에 걸친 양국 관계의 기초를 일부라도 자신의 언어로 말할 수 있는 능력을 배양해야 할 일이 남은 것이다. 비록 한 나라를 이해한다는 것은 지난하고도 전문적인 일이지만, 한·일 양국의 지난 역사와 현재까지 얽힌 관계에 비추어 보건대 반드시 시도해야 하는 일인 것이다.

'종교문화' 라는 창문

일본을 이해하고 내다보게 해 주는 창문에는 여러 종류가 있다. 그 중에서도 지난 십수 세기에 걸쳐 한국과 일본이 맺어온 관계를 염두에 둔다면, 종교문화야말로 일본을 이해하게 해 주는 적절한 통로이다. 비록 한국인이나 일본인이나 '종교' 라는 낱말이 주는 비일상성 때문에 종교문화라는 말 자체를 낯설어 하기도 하지만, 유교적 질서와 정서, 또 불교 사상과 사찰 등 문화재를 빼고 한국적인 것을 설명할 수 없듯이, 불교와 신도적(神道的) 종교성을 제외하고서 일본인과 일본 문화를 설명한다는 것은 불가능한 일이다.

서구적 혹은 그리스도교적 종교관으로 일본인을 보면 대단히 비종교적인 듯 비쳐지지만, 실제로는 오랜 일본식 종교의 길을 따르면서 오늘날의 첨단 문명을 이루어 왔다는 점을 염두에 두면, 불교나 신도 등 일본 종교문화에 대한 이해야말로 일본인의 정신과 일본 문명의 근간을 이해하는 첩경이 아닐 수 없다. 게다가 종교라는 것이야말로 사실상 다양한 문화 형태의 총체이며, 개인 또는 사회의 가장 깊은 부분을 반영해 준다는 점에서, 일본의 문화 전반을 내다보게 해 주는 가장 큰 창문이 아닐 수 없다.

종교문화의 겉과 속

물론 일본의 종교문화를 알아본다고 해서, 일본인이 두드러진 종교인이라는 뜻은 아니다. 현대 일본인은 적어도 의식적인 차원에서는 전반적으로 종교 현상에 관심이 없다. 그럼에도 불구하고 인생의 통과의례의 순간만큼은 종교적인 것으로부터 자유롭지 못한 이들이 일본인이다.

일본의 갓난아이는 저도 모른 채 부모 품에 안겨 신사(神社)의 신들에게 신고되고, 성인이 되어서는 그리스도교 교회나 교회식으로 꾸민 호텔에서 결혼식을 올리지만, 죽어서는 불교 사찰에 묻힌다. 이런 식으로 특별히 종교적인 행위를 한다는 의식 없이 일상 안에 녹아든 종교적 삶을 자연스럽게 수용하는 이들이 일본인이다.

이러한 현상에서 두 가지 의미를 읽을 수 있는데, 그 하나가 현대 일본인의 탈종교적 세속성이라면, 다른 하나는 삶의 중요한 순간만큼은 여전히 문화화한 종교적 상징체계에서 의미를 찾고 방향을 잡아 가는 모습이다. 이들은 얼핏 모순 같지만, 실상은 그렇지 않다. 일본인이 종교에 무관심하다고 할 때의 종교란 특정 종단에 소속되는 행위를 의미할 뿐이다. 특정 종단에 속해 비일상적 존재를 향해 무언가 정기적인 의례를 하는 행위를 어색해 하거나 낯설어 할 뿐, 일상 너머의 세계에 대한 기원 자체를 거부하는 것은 아니다. 의식적으로는 '종교'를 거절하는 경향이 크지만, 문화화한 종교적 행위는 문화적 혹은 관습적 차원에서 자연스럽게 수용하고 있는 것이다. 한국인 중 스스로를 유교 신자라고 밝히는 사람은 전 국민의 1% 내외에 지나지 않지만, 대다수의 사람이 의식하지도 못한 채 유교적 세계관에 영향을 받으며 유교 문화 속에서 사는 것과 비슷한 양태라고 할 수 있겠다. 딱히 종교라는 의식 없이도 자연스럽게 문화화한 종교적 관례를 따르고 수용하는 모습에서 일본인의 속마음은 상당히 종교적이라고 규정하는 것은 적절하다 하겠다.

신도와 불교, 신종교

이 같은 종교적 상황을 잘 대변해 주는 종교 전통을 꼽으라면 단연 '신도(神道)'이다. 신도야말로 일본인에게 일상화한 종교문화의 정수를 잘 보여 준다. 따라서 일본의 종교문화를 이해하려면 먼저 신도에 대해 살펴보아야 한다. 일본인의 집단주의적 일체감은 신도적 분위기 안에 드러나 있고, 역으로 그 분위기가 일본적 일체감을 이루는 결정적인 공헌을 하고 있기 때문이다. 무엇보다 일본인이 의식하지도 못한 채 행하는 종교적 관례는 대부분 신도와 관련된 것이라는 점에서 그렇다. 한국의 무속이나 유교를 모르고서 한국 문화를 안다 할 수 없듯이, 신도를 모르고서 일본을 안다 할 수 없다. 신도의 정수를 파악하면 일본인의 무의식적 심층을 파악하는 셈이라 해도 과언이 아니다.

물론 역사적인 차원에서 보면 오늘과 같은 신도의 형성에 불교가 끼친 영향은 지대하다. 불교를 알게 되면서 신도적 자의식도 비로소 생겼을 뿐더러, 오랜 세월에 걸쳐 불교와 신도가 서로 뒤섞이는 바람에 이들을 따로 분리하기는커녕 서로 구분하기조차 어려운 지경에 처하기도 했다는 점에서 그렇다. 당연히 신도와 함께 불교 문화를 살펴보는 것이 필요하다. 이에 따라 호넨(法然), 도겐(道元), 신란(親鸞), 니치렌(日蓮) 등 일본 불교의 사상적 기초를 놓은 이들에 대해 살펴보지 않을 수 없다. 원효, 의천, 지눌, 보우, 서산, 만해 없는 한국 불교를 상상할 수 없듯이, 이들 없는 일본 불교를 상상한다는 것은 불가능하다. 특히 「법화경(法華經)」이 일본정신사에 끼친 영향도 살펴볼 것이며, 엔랴쿠지(延曆寺), 도다이지(東大寺), 혼간지(本願寺), 곤코부지(金剛峯寺) 등 유의미한 사찰과 유적에 대해서도 간단히 짚고 넘어가고자 한다. 그와 함께 일본인에게 '죽음의 관리자' 기능을 하는 불교의 현대적 의미에 대해서도 정리하고자 한다.

또 한국에도 상당한 신자들을 확보하고 있는 텐리교(天理教), 소카가카이(創價學會), 리쇼교세이카이(立正佼成會) 등 근대 일본의 신종교 운동에 대해 알아보는 시간도 필요하다. 신종교는 종교 현상이 어떤 상황 속에서 생겨나 어떻게 성장해 가는지를 알려 주는 생생한 척도라는 점에서 중요한 연구의 대상이 되기 때문이다.

근대 일본의 정초, 메이지 시대

이때 놓쳐서는 안 되는 것이 일본 종교문화는 일본의 역사적 기원부터 함께 해 왔지만, 그 중추는 근대 메이지 시대 이후 이루어졌다고 하는 점이다. 신도, 불교, 신종교는 물론, 그리스도교에 이르기까지, 메이지 시대를 빼고 일본의 종교문화를 설명하기 힘들다. 이 책에도 어떤 종교를 다루든 근대 일본의 정초기인 메이지 시대의 흔적이 곳곳에 직·간접적으로 반영되어 있다. 따라서 이 책을 읽어 나가노라면 일본적 근대성의 단면도 느낄 수 있게 될 것이다. 일본의 근대화 과정을 이해하는 것은 한국의 20세기를 해석할 수 있게 해 주는 근간이라는 점에서, 그리고 한국의 미래를 그릴 수 있게 하는 중요한 토대가 된다는 점에서 일본의 근대화 과정은 한국인이 반드시 소화해 내야 할 주제이다.

조상신, 마츠리, 그리스도교

이와 함께 이 책에서는 겉으로 드러난 현상만이 아니라 일본인의 삶과 깊이 관련된 부분, 특히 일본인의 사생관(死生觀)에 대해 알아보고자 한다. 이를 통해 조상신을 모시는 유교가 일본에서는 어떤 형식으로 유지되어 왔는지 살펴볼 것이다. 아울러 일본의 전통적인 지역 축제인 마츠리(祭り)에 대해, 그리고 마츠리와 종교의 관계에 대해서도 알아보고자 한다. 특히 전국민적 축제 내지는 지역사회의 공동 축제가 사라진 한국의 현실과는 달리, 마츠리를 통해 지역적 공동체성을 유지해 가는 일본 사회를 비교해 보는 일은 의미 있는 일이 아닐 수 없다. 넓게는 한국에, 좁게는 특정 교단에 공동체적 의례가 어떤 역할을 하는지, 어떤 형식으로 자리 잡아야 하는지를 보여 주는 시금석이 될 수 있기 때문이다.

또 그리스도교가 번창하는 한국과 다르게, 오늘날 일본에는 왜 그리스도교인이 거의 없는지도 풀어야 할 숙제이다. 물론 여기에는 조선 왕조의 멸망이라는 거국적 불행을 경험한 한국과는 달리, 일본은 한 번도 국가적 멸망을 경험해 본 적이 없다는 정치·사회적 이유가 있다. 나라의 멸망을 경험하면서 전통보다는 외세에서 새로운 의미를 찾으려던 한국에 비해 일본은 상대적으로 안정적인 흐름을 이어갔기 때문이다. 외국에서 물질문명을 배우기는 해도 종교와 같은 정신문명까지 찾을 필요성은 한국에 비해 덜했기 때문이다. 이러한 사실들을 염두에 두고 일본에서의 그리스도교적 상황과 불교, 그리고 신도가 그리스도교와 맺는 관계에 대해서도 알아보고자 한다. 이를 통해 일본에서 동양과 서양이 어떤 식으로 만나는지 확인해 볼 수 있을 뿐더러, 한국의 근대화 과정과 자연스럽게 비교도 해 볼 수 있게 될 것이다. 마지막으로 현대 일본 사회의 세속성과 그곳에서의 종교의 역할과 전망에 대해 정리해 보고자 한다.

* 아시아에 대한 일본의 무관심은 메이지 시대(明治時代, 1868~1912) 개화사상가인 후쿠자와 유키치(福澤諭吉, 1835~1901)가 제기한 뒤 유명해진 '탈아입구(脫亞入歐)', 즉 '아시아를 벗어나 유럽으로 들어간다'는 일본 근대화 정신과 자세의 연장이기도 하다. 하지만 제2차 세계대전 패전(1945) 이후의 아시아관은 이전과는 분위기가 사뭇 다르다. 패전 이후 일본은 아시아에 무관심한 것이라기보다는 의도적으로 아시아를 회피하려는 측면이 더 커 보인다. 정신문화사적으로 아시아의 일원이라는 사실을 표면화하려면 아시아의 역사에 공감해야 하고, 중국과 한국 등 아시아 국가에 대한 침략의 역사를 인정하고 청산하는 일과 맞닥뜨려야 하기 때문이다. 일본이 미국에 패전했으면서도 도리어 강력한 친미적 자세를 견지하는 것은 중국 등과 정면 승부하지 못하고 에둘러 돌아가기 위한 수단이기도 하다. 그런 점에서 동아시아에 대한 역사 인식을 어떻게 갖느냐, 날로 강력해지는 중국 등과 어떤 전략적 관계를 맺느냐에 일본 미래가 달려 있다고 해도 과언이 아니다. 오늘날 일본의 주요 과제는 '일본의 아시아적 위상을 어떻게 확보해야 할까', 달리 말하면 '어떻게 아시아로 돌아갈까'에 있는 셈이다.

II. 신도와 일본의 근대

일본의 경제적 발전은 일본 특유의 집단적 세속주의가

서구의 근대적 선진 문물을 창조적으로 소화해 낸 데 있다.

'현재'를 누리려는 개인적 세속성이, 봉건적 막부시절 이래

체질화한 집단성을 통해, 개인성만으로는 사분오열되어

사라질지도 모를 성과를 구체화시키면서

오늘의 일본문명을 낳은 것이다.

그리고 그 핵심에 신도(神道)가 있다.

2. 일본인의 비종교적 종교성

일본인에게 낯선 종교적 행위

보통의 현대인에게 '종교'라는 말은 왠지 낯설게 느껴진다. 여기저기서 종교 현상을 목도하고, 가족 친지가 특정 신앙 생활을 하는 모습을 보고 들으면서도 왠지 남 얘기처럼 느껴지는 경우가 많다. 그들에게 종교란 특정 종단이나 공동체에 속해 정기 의례에 참여하고 저 하늘 위의 어떤 존재를 추종하는 낯선 행위로 비쳐진다. 그런 식의 행위는 미성숙한 것이거나 적어도 현대 성인의 감수성과는 어울리지 않는다고 생각한다. 여기에는 이른바 초월의 세계를 저 아득한 과거로 밀어 버린 현대인의 '자긍심'이 들어 있다. 그런 식으로 현세적 일상사에 충실하고자 하는 현대인들이 초월적 존재를 찬양하고자 특정 집단을 이루는 행위를 어색해 하는 것은 당연할지 모른다.

그 전형적인 모습을 읽기 좋은 나라 중 하나가 일본이다. 한국의 경우는 초월적 세계를 지향하는 그리스도교가 불교와 함께 가장 대표적인 종단을 형성하고 있고, 미국의 경우는 크고 작은 세계의 모든 종교 전통들이 다 들어와 있는 대표적인 나라인 까닭에 일상 너머의 세계를 지향하는 모습이 상대적으로 어색하지는 않게 느껴지지만, 일본의 경우는 상황이 좀 다르다.

일본의 보통 사람에게 종교는 특정 종단 안에 가입해 초월적 존재를 향해 정기적인 의례를 하는 비일상적 행위로 간주된다. 그리고 그런 종교 행위에 대해서는 전반적으로 낯설어 한다. 그러면서도 외견상 모순 같지만, 일본인의 생활 습관이나 문화 속에는 종교적인 행위가 자연스럽게 녹아 있다. 일본인은 무의식 중에 종교적 행위를 한다. 의식적인 차원에서 특정 종단 안에 가입해 있지는 않아도 문화와 전통 속에 녹아들어 간 종교적 행위는 자연스럽게 누리고 있는 것이다.

일본인의 세속성

외형적으로만 보자면, 일본에서 불교는 문화 유적으로서의 의미 내지는 장례식장이나 납골당으로서의 의미가 강하다. 살아 있는 생활불교의 모습은 한국에 미치지 못한다. 한국보다 백 년 이상 앞서서 그리스도교가 전해졌지만 일본인에게 그리스도교는 여전히 낯설다. 일본 내 그리스도교인이 전 국민의 1%가 못 되는 상황이다 보니, 대학생이 되도록 그리스도교인을 직접 보거나 만난 적이 없는 경우가 있을 정도이다. 전반적으로 종교는 노약자에게나 필요한 것이라는, 다소 구태의연하고 세속적인 사고방식이 주를 이룬다.

이러한 사고방식이 단지 근대적인 현상만은 아니지만, 그럼에도 불구하고 세속화의 이유를 꼽자면 다분히 근대에 이룬 물질적 풍요에 있다. 근대화, 문명화, 경제적 선진화를 이루고 생활에 여유가 생기자 인생 고민은 사라졌다. 인생 고민이 없는 곳에 종교가 있을 까닭이 없다. 인생의 가장 깊은 측면인 종교에 무관심해지는 것도 당연하다. 일본 TV를 시청하다 보면, 가장 많은 부분을 차지하고 있는 것이 오락, 연예, 스포츠 관련 프로그램이고, 그 다음이 요리와 여행 관련 프로그램이다. 교양은 물론, 인생을 즐기는 다양한 방법을 담은 방송 내용들 속에서 일본인의 현세중심성이 느껴진다. 한국의 상황도 근본적으로 다르지 않지만, 그 정도에 있어서는 일본이 더 세속적이라는 느낌을 지울 수 없다.

그러면서도 일본인의 일상적 생활 방식 안에는 종교적 모습이 자연스럽게 녹아 있기도 하다. 스스로 종단 안에 가입하기는 싫어해도 문화화한 종교는 충분히 향유하고 있는 것이 일본인이다. 여기서 일본적 종교문화의 뿌리 내지 보통 사람들의 정서를 읽을 수 있다. 이 책에서 주로 견지하고자 하는 것도 그러한 일본인의 정서이다.

가마쿠라(鎌倉) 츠루가오카하치만구(鶴岡八幡宮) 신사에 새해 복을 빌기 위해 몰려든 인파. 가마쿠라는 1192~1333년에 걸쳐 사실상의 수도 역할을 했던 터라, 각종 유적들이 많은 곳이다. 짧은 기도의 시간을 얻고자 줄서서 신사에 들어갈 차례를 기다리는 사람들에게서 일본적 종교성의 단면을 읽을 수 있다.

재가불교단체 릿쇼코세이카이에서 주최한 축제(마츠리)의 한 장면. 수천 명의 신도들이 참여해 거리를 행진하면서 밤늦게까지 진행된다. 일본인의 공동체적 정체성 형성에 크게 공헌한다.

새해가 되면 전국의 유명 신사(神社)에는 사람들이 몰려든다. 신사에 모셔진 신령 앞에서 일 년간 살아갈 힘을 얻고 복을 비는 기도를 하기 위해서이다. 짧은 기도의 시간을 얻기 위해 수많은 사람들이 신사 안에 차례로 줄을 선다. 한국의 경우 사월 초파일에 사찰에 많은 신도들이 모여들 듯이, 일본인은 새해 첫날 주로 신사에 모여든다. 그 규모와 정도는 초파일에 사찰에 모이는 한국의 상황에 비할 수 없을 정도로 크다. 특정 종교적 정체성을 가지고 모이는 것이라기보다는 전 국민의 오랜 문화이기에, 그러한 모습은 지극히 자연스럽다. 신도(神道)가 일본인의 일상사에 의미를 부여해 주는 최종적 근거로 작용하는 것이다.

그리고 마을이나 집단 축제로서의 마츠리(祭り)가 연중 내내 성행하는 데에서도 일본인의 종교 전통 내지 정서가 지속되고 발전되어 가는 모습을 충분히 읽을 수 있다. 이러한 현상이, 교단화한 종교에 대해서 낯설어 하는 외적 모습과는 달리, 사실상 오래도록 이어져 온 일본적 종교성의 속 모습인 것이다.

비종교적 종교성

이렇듯 일본을 이해하려면 종교의 두 가지 측면을 나누어 볼 수 있어야 한다. 바로 종교의 추상적·초월적 측면과 구체적·내재적인 측면이다. 흔히 종교학자들은 초월성을 종교의 핵심으로 규정하지만, 여기에는 대체로 서양적 종교관이 더 많이 반영되어 있다. 전문적인 견지에서 보면, '초월'이라는 말이 '내재'와 대립적인 것만은 아니지만, 일반 어법에서의 초월은 현실 저 너머의 세계처럼 생각되는 언어이다. 그런 점에서 일본인에게는 초월지향적 종교관이 대단히 낯설다. 일본인에게 종교는 현세적 질서 너머의 목표를 지향하는 특별한 인간 집단 같은 것으로 비친다. 소수를 제외하면 그런 식의 종교관을 체화하기 힘들어 한다. 일본인에게 있어 초월 내지 보편과 같은 개념은 쉽게 와 닿지 않는 부분이기 때문이다. 그래서 일본인은 무언가 초월적이기에 그만큼 비일상적으로 느껴지는 '종교'라는 것에 왠지 모를 어색함을 느낀다. 현실을 충분히 누리기도 부족한데 어찌 저 너머의 삶까지 추구할 수 있겠는가 하는 현세적 사고방식 때문이다. 일본인에게 현실 밖의 것을 추구하는 행위는 다소 '튀는' 행동처럼 인식된다. 종교는 자신의 삶을 스스로 꾸려갈 능력이 없는 이에게나 필요한 것이라는 세속적인 견해가 주류를 이루는 것이다.

추상보다는 구체

이렇게 인식되어 온 것이 어제 오늘의 일은 아니다. 일본인은 고대로부터 현세지향적인 자세를 견지해 왔다. 현실 너머의 세계에 대한 관심은 별반 보이지 않았다. 한국인도 근본적으로 다르지 않은 듯 보이긴 해도 정도의 차이는 분명히 있다. 가령 한국에는 구체적 사물의 세계 근본에 있는 추상적 원리[理] 중심의 성리학(性理學)이 득세하던 시절이 있었지만, 일본에서는 그런 적이 거의 없었다. 구체적 사물의 질서로서의 '도(道)'를 중시하는 분위기가 더 컸다. 일본인에게 도는 현실을 반영한 구체적인 것이었다.

신주쿠교엔(新宿皇園) 안에 꾸며진 일본 정원. 도쿄 신주쿠 소재.

자연도 노장사상식의 '스스로[自] 그러한[然] 이치'를 의미하기보다는 생생하게 살아 있는 아주 구체적인 세계를 의미했다. 산과 강을 축소해 앞마당으로 가져오는 일본 정원을 보고 서양인들은 일본인의 자연성을 찬탄하지만, 그렇게 단순한 문제는 아니다. 일본인은 자연적이기는 하되, 자연이라는 '이치'보다는 자연이라는 '사물'에 더 관심이 많은 편이다. 이것을 부정적으로 표현하면, 일본인은 추상성 내지 보편성에 대한 경험이 상대적으로 적었다는 뜻이 된다. '하늘신앙'처럼, 한국인이라면 이심전심으로 느끼는 보편적, 초월적인 정서가 일본에게는 별로 없었으며, 전체 일본인이 공유하는 보편 원리 같은 것은 약했다고 해도 과언이 아니다. 정토(淨土)와 같은 저 너머의 세계를 추구하는 불교 신자들도 적지는 않지만, 초월적 하느님에 대한 신앙을 중심으로 하는 그리스도교가 일본에 자리잡기 힘든 근원적인 이유도 일정 부분 이러한 현세 중심적 사고방식에 있다고 할 수 있다.

종교는 현세적 욕망의 연장선

현세 중심주의는 지속되고 연장될 뿐, 근본적으로 변혁되기 힘들다. 기존 구조가 변혁되려면 변혁의 원리가 기존 구조 '밖'에서 와서 새롭게 수용되어야 하는데, 일본은

한 신사 안에 참배자들이 걸어 놓은 각종 기원문[繪馬]들. 주로 대학 합격, 가족 건강, 기업 취직을 비는 기복적인 내용들이 담겨 있다.

그동안 '밖'을 거부하고 부정해 온 경향이 크기 때문이다. 일본인이 추구하는 '밖'은 '안'을 더 풍요롭게 해 주는 물질적인 것이 주를 이루며, 정신은 늘 '안'의 것을 유지해 왔다. 서구의 '문물'을 수용하면서도 '정신'은 일본 안의 것을 유지해 왔다는 말이다. 정신[魂]은 일본전통[和]을 지키면서 물질문명[才]은 서양[洋]에서 배운다는 '화혼양재(和魂洋才)' 라는 말이 이것을 잘 보여 준다.

그러다 보니 기존의 '안' 에서 누려온 권위에 대한 도전이 일본에서는 쉽지 않다. 전후 일본의 정권이 50년 이상 한 번도 바뀌지 않은 이유도, 21세기 들어 집권 여당인 자민당의 인기가 바닥권에 있으면서도 실제로 정권 교체로까지 이어지지 않는 이유도 여기에 있다. 일본에서는 종교도 기존 국가와 사회의 정체성을 유지시켜 오는 역할을 담당해 오고 있는 경향이 크다. 그만큼 체제 유지적, 현실 중심적이며, 현실을 초탈할 줄 아는 종교성도 약해 보인다.

그렇다고 해서 일본인이 비종교 내지는 무종교적이라고 단정할 수는 없다. 단적으로 말해 종교가 없다기보다는 구체적 현실을 향유하려는 것이 일본식의 종교라고 볼 수 있다. 신사를 다녀간 이들이 걸어 놓은 짧은 기원문들에서 일본인의 현세적 종교성의 전형이 잘 드러난다. –에마(繪馬)라고 불리는 오각형 나무판에 각종 기원문을 적어 신사 경내에 있는 마괘에 걸어 둔다.–기원문들은 주로 가족의 건강이나 평안, 진학이나 취직 같은 현세적인 것들이다. 한국인이라고 해서 크게 다르지는 않지만, 일본 대중에게 종교는 현세적인 욕망의 연장이라는 사실이 잘 확인된다. 추상적·초월적 종교보다는 구체적·내재적 종교를 추구하고 있는 것이다. 그런 식으로 현실 안에 문화화해서 작동되고 있는 곳에 일본 종교의 현주소가 있다.

3. 일본 문화의 다른 이름, 신도

일본이 잘사는 이유

필자가 어렸을 때, 그리스도교를 믿는 나라는 다 잘사니 우리나라에도 그리스도교인이 더 많아져야 한다는 목사님의 설교를 종종 들었다. 이것은 백여 년 전, 한국 개신교 선교 초기에 회자되던 논리와 같은 것이었지만, 그럴 때마다 어린 나는 그리스도교인도 별로 없는 일본은 왜 잘사는지 궁금했다. 그래서 몇 차례 질문을 던지기도 했는데, 누구에게서도 제대로 된 답을 들은 기억은 없다.

물론 일본이 잘사는 것과 그리스도교는 별 상관이 없다. 일본의 경제적 발전은 일본 특유의 집단적 세속주의가 서구의 근대적 선진 문물을 창조적으로 소화해 낸 데 있다. '현재'를 누리려는 개인적 세속성이, 봉건적 막부시절 이래 체질화한 집단성을 통해, 개인성만으로는 사분오열되어 사라질지도 모를 성과를 구체화시키면서 오늘의 일본문명을 낳은 것이다. 그 일본문명이라는 거대한 공장을 굴리는 무수한 톱니바퀴와 같은 것이 이번 장의 주제인 '신도(神道)'이다. 우선 일본적 사유의 기원과 변천 과정부터 간략하게나마 살펴보자.

천황은 곧 가미의 현신

한국인이 고대 한국에 관한 기록을 주로 『삼국사기』(三國史記, 1145)나 『삼국유사』(三國遺事, 1285)에서 찾듯이, 일본에서는 주로 『고사기』(고지키, 古事記, 712)와 『일본서기』(니혼쇼키, 日本書紀, 720)에 의존한다. 이 두 문헌에는 고대 일본의 신화와 역사가 기록되어 있으며, 특히 일본의 기원에 관한 비슷한 내용의 신화가 등장한다. 그 신화의 요지인즉, 태초의 혼돈 상태에서 하늘, 바다, 땅이 분리되고, 나중에 여러 신들이 나왔는데, 그 중 이자나기(伊邪那岐)와 이자나미(伊邪那美)라는 두 신이 결합해 낳은 섬이 일본이며, 이자나기의 왼쪽 눈에서 나온 태양신 아마테라스(天照)가 손자 니니기노미코토(瓊瓊杵尊)를 섬에 내려 보내 규슈(九州)를 다스렸고,

니니기의 증손자가 일본 최초의 천황 진무텐노(神武天皇)라는 것이다. 그리고 이 천황의 가계는 오늘날 125대 아키히토 천황에 이르기까지 계속되고 있으며, 천황은 '가미'(神)의 현신이라는 것이 일본인들에게 익숙한 신화적 사고방식이다.

이러한 고대 신화는 당시 황실의 정통성을 입증하려는 의도로 작성된 다분히 '정치적인' 서술이지만, 중요한 것은 황실은 물론, 일본 전역이 신들의 보호와 인도를 받고 있는 땅이라는 관념을 일본인이 오래도록 지녀 왔다는 사실이다. 일본 건국과 황실의 기원을 보

유명한 온천 지대이자, 일본인에게 신령스러운 공간으로 간주되는 가나가와현(神奈川縣) 내 하코네(箱根). 화산 활동이 진행 중인 까닭에 지하에서 뜨거운 김이 계속 솟아오른다.

여 주는 이러한 신화는 일본이 가미로부터 생겨나고 가미의 보호를 받는 우월한 나라라는 관념 속에서 형성된 것인 셈이다.

팔백 만에 이르는 가미

신도(神道)는 일본식으로 음독하면 '신토'가 되고, 훈독하면 '가미노미치', 즉 '가미(신)의 길'이 된다. 이때 '가미'와 '길'이 무엇을 의미하는지 규정하기는 간단치 않다. 무수히 많은(八百萬) 신(神)들을 의미하는 관용적 표현으로 '야오요로즈노가미(八百萬神)'라는 말이 사용될 정도로 일본에서 '가미'라고 불리는 것들은 무수히 많고 그 용례도 다양하기 때문이다. 『고사기』에는 가미라는 명칭이 붙어 있는 것이 약 백여 개가 나오는데, 흔한 것이 천체·산·들·강·바다·바람·비 등이며, 새·짐승·벌레·수목·풀·금속·돌 등 자연 현상이나 자연물에도 가미 명칭을 붙이고 있다. 그런 점에서 고대 신도는 자연 현상 속에 깃들어 있는 신들에 대한 숭배, 즉 정령숭배(animism)에 기원을 두고 있다고 할 수 있다.

또한 가미가 많다는 말은 삼라만상 중 위력적 존재는 무엇이나 가미가 될 수 있다는 뜻이기도 하다. 소수이지만 인간의 능력이 신격화한 영웅신적 속성의 가미도 있고, 조상의 영을 가미로 숭배하기도 한다. 한자 '상(上)'을 '가미'로 읽기도 하는데, 그것도 가미가 일

대형 사찰 주변 상점가에 설치된 신사. 사업이 번창하고 가족이 건강하기를 바라는 마음은 그 장소가 사찰이든 신사든 별로 신경 쓰지 않는 분위기이다.

반적인 능력 너머의 존재라는 것을 의미한다. 게다가 그리스도교의 신(God)도 가미라고 부르고 있으니 근대 이후 가미라는 말의 외연은 더욱 확장되었다고 할 수 있다.

더러움을 씻는 것이 교학의 핵심

일본인에게 가미는 다양한 인

간 욕망이 구체화된 것이라고 해도 과언이 아니다. 신도(神道), 즉 '신의 길'에서 '길'은 도리, 이치, 가르침과 같은 추상적인 것이라기보다는 다분히 구체적이고 현세적인 것이다. 신도 교학의 핵심은, 본래 선하고 청정한 인간에게 악령이 깃들어 병이나 불행이 생기니, 신관(神官)의 축사(祝詞)나 제사를 통해 이러한 악의 기운을 떨쳐 내고 본래의 선한 차원을 회복해야 한다는 것인데, 그 선한 차원이라는 것이 대체로 현세에서의 풍요로움으로 입증되는 것이라는 점에서 그렇다.

신도적 세계관에 의하면, 인간은 본래 깨끗한 존재인데 거기에 무언가 더러운 것이 덧붙여져 깨끗한 상태를 왜곡시키고 있다는 것이다. 깨끗한 인간을 해코지해 더럽게 만드는 것은 주로 인간의 위로를 받지 못한 사후 영혼, 즉 원령(怨靈)이다. 이 원령을 잘 모셔서 조상신[祖靈]의 차원으로 승화시키는 것이 신도의 공양법이다. 더러움을 잘 씻어 내면 인간 본래의 청정함이 회복되고 그 결과로 현실이 풍요로워지는 것이다.

단순하게 말해 일본인에게 깨끗함이 선이라면 더러움은 악이다. 이때의 '선'이라는 것은 대체로 현실적 풍요로움으로 반영된다. 건강이나 물질의 풍요는 신의 가호를 받는 증거가 된다. 그런 점에서 신도는 다양한 신들과의 적절한 관계를 통해 현실에서의 풍요를 추구하는 일본적 생활양식을 총칭한다고 할 수 있다. 여기에 문화적 차원에서 한 마디 덧붙이자면, 도시든 농촌이든 일본 거리가 다른 나라에 비해 유난히 깨끗한 것은 깨끗함을 선의 차원에서 해석하는 일본인의 오랜 세계관이 반영된 결과로 보인다.

불교와의 습합

신도 신앙 자체는 고대로부터 있어 왔지만, 신도가 오늘의 형식을 갖추게 된 것은 다분히 불교의 영향이다. 나라(奈良) 시대(710~794년)에는 백제로부터 전해진 불교 신앙과 습합이 일어나면서, 여러 불보살들을 가미의 현현으로 해석하거나 가미를 불법(佛法)의 수호자라고 생각하는 경우가 많았다. 헤이안(平安) 시대(794~1193)에는 불교의 영향력이 더 커지면서, 가미와 부처가 서로 다른 존재가 아니라든지, 가미는 불보살이 스스로를 드러낸 실재라는 해석까지 등장한다. 일본 진언종의 창시자인 고보 다이시(弘法大師)는 부처와 보살이 나라마다 서로 다른 신으로 나타나는데, 일본에서는 가미의 모습으로 나타났다고 보았고, 일본 천태종의 창시자인 덴쿄 다이시(傳教大師)는 태양의 신 아마테라스를 우주적 원리의 불교적 인격화라고 할 수 있을 대일여래(다이니치뇨라이, 大日如來)의 현현으로 보기도 했다. 이것은 당시 신도를 불교적 세계관으로 설명할 수밖에 없을 정도로 불교가 우위를 점하게 되었다는 것을 의미한다. 동시에 다양한 외래의 가르침들을 수용해 내는 신도의 능력을 보여 주는 것이라고도 할 수 있다. 그리고 이러한 신불습합의 경험은 이후 이질적인 것들을 한 데 묶어 내는 일본적 종교성의 근간을 이루게 되었다.

'정토종 가나가와(神奈川) 교구 청년회' 에서 이와테현(岩手縣) 등지에서 발생한 대형 지진 참사(2008. 6. 14) 피해자 돕기 모금을 하고 있다.

4. 근대의 신도와 야스쿠니 신사

국가신도의 출현

불교 우위의 신불습합적 분위기는 그 뒤에도 지속되다가, 그리스도교 등 서양의 이질적인 문화가 수입되던 도쿠가와(德川) 막부, 이른바 에도(江戶) 시대(1603~1867)에 이르러 변화를 보이기 시작했다.* 이 시기에 외래문화의 영향으로부터 스스로를 지키기 위한 수단으로 신도가 부각된 뒤, 메이지(明治) 시대(1868~1912)에는 국민을 결속시켜 부국강병하기 위한 수단으로 신도를 채택, 국가의 공식 통치이념으로 삼기에 이르렀다. 오랫동안 자연신앙으로 머물던 신도를 불교와 분리시켜 국가 종교화함으로써, 조상신 숭배 전통을 개인이나 마을 단위에서 국가적 차원으로 확대했다. 태양신 아마테라스를 모시고 있다는 이세 신궁(伊勢神宮)은 물론, 전국 각지의 지방 신이나 영웅을 모시는 신사에 전 국민이 참배하도록 사실상 의무화했다. 천황의 가계는 아마테라스의 후손으로 복원되었고, 집안에 조상신이 있듯이, 천황은 일본 전체에 해당하는 일종의 국가적 조상신 차원으로 선포되었다. 메이지 천황 사후에는 그를 모시는 신사, 즉 메이지 신궁(明治神宮)이 건립되었고(1920), 오늘날까지 수많은 일본인과 관광객의 발길이 이어지고 있다.

야스쿠니 신사와 국가주의

이와 함께 1869년에는 메이지 유신기에 내전으로 죽은 이들에게 제사를 지내기 위해 도쿄 초혼사(東京招魂社)가 창건되었고, 10년 후 야스쿠니 신사(靖國神社)로 개칭했다. 그리고 점차 전란이나 전쟁, 제1·2차 세계 대전으로 죽은 이들의 혼령까지 합사(合祀)해 제사를 드리기 시작했다. 그렇게 모셔진 이들이 2004년 기준으로 246만 6,532위에 달하니, 그 후손들만 참배하러 온다 해도 야스쿠니 신사는 '사람 잘 날 없는' 곳일 수밖에 없다.**

이 시대 야스쿠니 신사의 건립은, 이른바 '호국영령'을 국가적 담론 체계 안에 두고 국민적 제사의 대상으로 삼되, 그 정점에 천황을 둠으로써 천황 중심의 통일국가를 이루려는 정치적 의도의 표현이었다. 1890년 신도의 정신을 교육의 기본 가르침으로 삼은 일도 개

메이지 신궁 본전(本殿). 신궁(神宮)은 역대 일본 왕을 기리는 신사로, 다른 신사보다 높게 친다.

인보다 국가를 앞세우고 국가와 하나 되는 것을 최고의 명예로 알게 하기 위한 통치 전략이었다고 할 수 있다.

그러다가 제2차 세계 대전의 패배로 천황이 살아 있는 가미라는 주장은 공식 삭제되었고, 정치와 종교가 분리되면서 신도를 교육의 기초로 삼는 일도 금지되었으며, 신도는 하나의 종단 차원으로 격하되었다. 신사의 숫자도 11만 개에서 8만 개 정도로 줄었다.

그럼에도 불구하고 메이지 시대 천황을 정점으로 일본이 진정한 의미에서의 통일국가를 이루어 본 경험은 일본 전체 역사를 놓고 볼 때 엄청난 변화가 아닐 수 없다. 오늘날 일본적이라고 할 만한 상당

야스쿠니 신사. 메이지 유신 직후인 1868년 건립되었으며, 8만여 개가 넘는 일본 전역의 신사들 가운데에서도 가장 방대하다. 제2차 세계 대전 전범의 위패가 봉안돼 일본 정치인들의 참배 문제가 세계적인 이슈가 되고 있으며, 지금도 많은 일본인들이 민족적, 종교적, 관광 상의 목적으로 끝없이 이곳을 찾는다. 사람들이 서 있는 곳이 배전(拜殿)이며, 그 안으로 본전(本殿), 영영부봉안전(靈靈簿奉安殿)이 있다.

부분이 그 당시 확립되었기 때문이다. 이런 식으로 일본의 시스템 사이사이에, 아니 한복판에, 신도의 정신이 깊숙이 들어 앉아 있는 것이다.

일상적 문화로서의 신도

상당수 일본인 가정에는 가미다나(神棚)가 설치되어 있다. 가미다나란 조상의 신위나 각종 신상, 신사에서 발행하는 오후다(御札, 일종의 부적), 종교적으로 의미 있는 상징물 등이 모셔진 일종의 사당 역할을 하는 선반이다. 집에 선물이 들어오면 먼저 가미다나에 올려 두고 가미에게 신고한다. 신년에는 집집마다 대문 앞에 일 년간 집안에 복이 깃들기를 바라며 가도마츠(門松)라는 소나무 장식을 내걸고, 전 국민의 절반 이상이 신사에 참배한다.

불자 집안에서는 가미다나 대신에 부쓰단(佛壇)을 둔다. 오늘날

가도마츠(門松). 일 년 동안 집안에 복이 깃들기를 바라는 마음으로 정초 대문 앞에 놓는 소나무 장식

통계에 의하면, 가미다나보다는 부쓰단을 두는 경우가 많지만,*** 가미다나든 부쓰단이든 설치하고 섬기는 사람의 기본 심성이나 자세는 크게 다르지 않다. 그 안에는 부처님 혹은 조상신 등 특정 신들과의 관계 속에서 식구들의 안녕과 건강 등을 염원하는 기복적 사고방식이 들어 있다. 한국인의 눈으로 보면 상당히 전근대적인 것처럼 보일 법한 관습적 행위들이 일본인에게는 너무도 친숙한 일본적 전통으로 지속되어 오고 있다. 일본이 오랜 전통을 적절히 유지하면서도 서구 문명을 소화, 발전시킨 근거에 신도적 정신이 놓여 있는 셈이다.

사람이 좋아하면 신도 좋아해

일본인들이 하는 말 가운데 "사람이 좋아하는 것은 신도 좋아한다."는 말이 있다. 신도의 가미는 인간의 희망 내지 욕망의 투사, 그 자체나 다름없다고 해도 과언이 아니다. 세속적 욕망을 그 '욕망의 얼굴'을 한 가미의 이름으로 정당화하되, 그를 위한 번잡한 종교의례에 집착하거나 매이지 않으며, 일상적 삶과 분리된 종교 공동체에 속하려 들지 않는다. 일본인에게 종교는 늘 그래왔던 삶 '밖'에 있는 것이 아니다. 새로운 문명이 수입되어도 그것을 전통적인 정서에 어울리게 변용해 적절히 향유

할 수 있으면 충분하다고 생각한다. 이런 정서 속에서, 아이가 태어나면 신사의 신들에게 보고하고, 결혼식은 그리스도교 교회나 호텔의 채플(일종의 예배당)에서 하지만, 사후에는 사찰에 묻히는 자연스러운 풍토도 생겨나는 것이다.

특히 현대 일본 사회에서 그리스도교라는 종교는 여전히 낯설고, 실제로 관심도 없지만, 그렇다고 굳이 거부할 이유도 없다는 것이 일본인의 생각이다. 도리어 낯선 만큼 신선한 느낌을 가지고 청춘남녀의 결혼식이 교회나 교회식으로 꾸민 호텔의 예식장에서 이루어지고 있는 것이다. 물론 이때 그리스도 교회는 생활의 풍요를 위한 수단일 뿐이다. 핼러윈데이를 즐기는 것과 비슷한 마음으로 크리스마스 파티를 벌이고 도시를 꾸미며 즐기는 것으로 충분하다. 이러한 정서가, 일상 너머의 초월적인 것에 진지할 것을 요구하는 그리스도교가 일본에 자리 잡지 못하는 중요한 이유의 하나로 작용하고 있는 것이다.

문화의 심층이 고스란히 신도에

한국인이 스스로를 유교인이라고 규정하지 않으면서도 유교적 질서에 따라 살아가듯이, 한국의 대형 개신교회의 정서 속에 오랜 무교적 전통이 신자들 자신도 모르는 사이에 스며들어 있듯이, 신도도 마찬가지이다. 신도가 하나의 종교 법인으로 등록되어 있는 오늘날, 자신의 종교를 신도라고 밝히는 일본인은 3~4% 정도에 지나지 않지만, 곤란한 일을 만나면 신사를 찾거나 가미에게 기도하는 일은 일본인들에게 아주 자연스럽다. 종교 법인으로 등록된 신사만 8만 1,304개소(2002년 기준), 분사 숫자까지 합하면 14만 개소에 이를 만큼, 신사는 어느 동네, 어느 길가에서도 흔히 볼 수 있는 지극히 일본적인 종교 현상이다. 신도를 모르고서 일본의 종교와 문화, 그리고 사회를 말할 수 없는 것이다.

* 막부(바쿠후, 幕府)는 1192~1868년 실질적으로 일본을 통치한 세습적 군사독재자인 쇼군(將軍)의 정부를 말한다. 무사(武士)들의 지도자였던 미나모토 요리토모(源賴朝)가 일본 전역에 걸쳐 군사력을 장악하고 쇼군이 되어 1192년 가마쿠라에 최초의 막부를 설치했는데, 그것이 가마쿠라 막부(1192~1333)이다. 막부는 후에 도쿠가와 이에야스(德川家康)가 에도(江戶, 지금의 도쿄)에 세운 정부, 이른바 에도 막부(1603~1867)까지 지속되었다. 막부의 출현 이후 천황 정부의 법적 권위는 그대로 인정되었지만, 실제로는 막부가 군사, 행정, 사법 기능을 장악했다. 쇼군의 신분도 원칙적으로는 천황의 통제 하에 국가 군사력을 관장하는 장군이었지만, 실제로는 국가의 최고 통치자였으며, 천황은 적어도 메이지 시대 이전까지는 사실상 상징적인 존재에 머물렀다.

** 야스쿠니 신사에 모셔진 영령들의 87%에 이르는 213만 3,915위는 제2차 세계 대전 당시 사망자들로서, 이 중 명목상으로는 일본군이었지만 사실상은 타의로 동원된 외국인, 즉 한국인, 중국인들이 다수 합사되어 있다는 것도 문제이다. 야스쿠니 신사를 통해 여전히 과거 군국주의적 시절을 당연시하고 심지어 그리워하는 이들을 볼 수 있다. 이들은 대체로 폐쇄적 민족주의와 일본종교의 경계에 있는 이들이다. 그러다 보니 '종교적' 행위를 한다면서도 자신들의 아픔만 회상할 줄 알지, 그로 인해 더 큰 피해를 입은 사람들은 의식적이든 무의식적이든 외면한다. 이런 모순은 일본으로서는 반드시 해결하지 않으면 안 되는 부분이다.

*** 15장 「불교적 형식, 유교적 내용」 부분 참조.

5. 근대 천황제와 귀신 담론

종교는 인간의 해석 현상

동서고금을 막론하고 가장 원초적인 종교 형태가 있다면 바로 조상숭배이다. 조상숭배는 사람이 죽으면 그 혼이 신적 존재가 된다고 전제할 때, 그리고 그 존재가 후손과 교감할 수 있다고 믿을 때 성립된다. 물론 혼이 하나의 실체로서 지속되는지, 지속된다면 어떤 모습으로 얼마 동안 어디서 지속되는지 등등 그에 대한 이해의 내용, 정도, 양상은 다르다. 때로는 종교의 이름으로 그러한 실체 자체를 부정하기도 한다.

그러면서도 이들 간에는 공통점이 있는데, 혼이든 신이든 모두 살아 있는 사람들의 경험·생각·신념과 연결되어 있거나, 일정 부분 그 반영이라는 것이다. 인간은 자신이 처한 상황에 어울리도록 현실을 해석하면서 신령의 세계를 긍정해 왔고 늘 함께 해 왔다. 그런 점에서 종교는 인간의 '해석'과 관련된 현상임을 알 수 있다. 근대 일본에서 천황제가 성립되고 전개되어 간 역사도 신령에 대한 인간의 해석 체계와 연결되어 있다.

국가신도에 대한 한 해석

조상신 내지 귀신은 어디에 어떻게 있을까. 일본 사상가 고야스 노부쿠니(子安宣邦)는 "귀신이 사는 곳은 무엇보다 사람들이 하는 말 속"이라고 규정한다. 그리고 또 "사람들이 지은 건물 속에 있다."고 주장한다.* 무슨 뜻인가.

『논어(선진편)』에는 공자와 그 제자인 자로의 문답이 나오는데, 자로가 '귀신 섬기는 법'에 대해 묻자 공자는 이렇게 답한다. "아직 사람도 잘 못 섬기면서, 어찌 귀신을 섬길 수 있겠는가." 귀신 자체를 부정하지는 않으면서도 무게 중심을 인간 쪽으로 가져간 공자의 이 답변이야말로 오늘날 유교적 신관의 틀을 결정지어 준 가르침이자 공자다운 해석이었다. 그렇지만 이 말은 별 의심 없이 귀신을 섬기며 사는 이들을 혼란스럽게 만들었고, 다양한 귀신 관련 담론들을 파생시켰다. 고야스는 공자와 자로의 문답이야말로 사람들이 당연시하던 귀신의 존재를 인간의 '말' 속에 존재하게 만든 원초적 사건

도쿄 시내 한 가정집 정원에 설치된 가족 신사. 실내 한 켠에 '가미다나'라는 작은 신단을 설치하는 것이 관례이지만, 이렇게 마당에 정식 신사를 만들어 놓은 집도 종종 있다.

이라고 본다.

후세 사람들은 공자의 말을 여러 각도로 해석해 왔다. 성리학을 집대성한 주자는 이를 '귀와 신은 같은 말이며, 간단히 말하면 귀신도 자연, 즉 기(氣)의 세계의 다른 모습이자 표현들'로 보았다. 주자는 조상의 혼이 어떻게 후손의 제사와 만날 수 있는지를 말하려 했던 것이지만, 주자의 해석은 후학들을 통해 전승되면서 귀신을 섬기는 제사 양식에도 변화를 일으켰다.

고야스는 일본에서 오랫동안 자연 신앙 수준에 머물렀던 신도가 국가신도가 된 것도 귀신 담론이 일으킨 제사 양식의 변화와 관련이 있다고 본다. 신도의 국가종교화는 일본의 조상신, 즉 귀신을 국가적 담론 안에 살게 하는 정치적 과정이라는 것이다. 특히 '호국영령'을 국가적 담론 안에 살게 만들어, 국가와 국민의 제사 대상으로 재구성하면서, 천황을 그 정점에 두게 한 것이, 메이지 유신의 핵심이라고 보았다.

메이지 정부의 정책

에도 시대 말기 군사정부의 무능이 드러나자, 그동안 종이호랑이나 다름없었던 천황을 옹립하여 새로운 국가 체제를 이루려는 개혁적 하급 무사들의 혁명적 움직임이 일어났는데, 이것이 이른바 메이지 유신이다. 메이지 정부(1868~1912)의 기본 고민은 어떻게 일본적 정체성과 고유성을 지키고 천황의 정당성을 확보하면서, 점증하는 종교적 자유에 대한 서양의 강력한 요구를 수용해 내느냐에 있었다. 그때 정부가 선택한 것은 크게 두 가지였다. 하나는 옛 문헌 『고사기』와 『일본서기』에 기록되어 있는, 천황이 신의 자손이라는 신화였고, 다른 하나는 외형적으로는 종교의 자유를 보장하면서도 내적으로는 신도 중심의 국가 체제를 정립하는 일이었다. 그런 점에서, 이 책 앞 장에서는 『고사기』와 『일본서기』에 나온 천황에 관한 신화를 자연스럽게 인용하는 데 그쳤지만, 신화에도 '정치'가 있고, 정치적으로 이용되기도 한다는 사실을 눈여겨 볼 필요가 있다.

신도는 조상 숭배의 오랜 전통

특히 후자와 관련하여 메이지 정부

사이고 다카모리(西鄕隆盛, 1827~1877) 동상. 하급 무사 출신으로 메이지 유신의 주역 가운데 한 사람이다. 그를 기리는 신사가 있을 만큼 일본인 사이에서 존경받는다. 동상은 도쿄 우에노 공원에 있다.

야스쿠니 신사 배전 앞에서 녹음기로 제2차 세계 대전 당시 일본 군가를 틀어 놓고 과거를 회상하는 군복 입은 노인. 야스쿠니 신사에는 과거 군국주의 시절을 그리워하는 사람들의 모습이 종종 눈에 띈다.

는 '종교(宗教)'라는 신조어를 이용했다. 'religion'의 번역어로 일본에서 만들어진, 당시의 '종교'라는 말은 오늘날로 치면 특정 공동체를 지닌 '제도 종교'를 의미한다. 메이지 정부는 종교의 자유를 요구하는 서양 세력의 요구에 따라 사람들에게 내면적 신앙의 자유, 특정 종교 단체에 속할 자유를 인정했다. 그러면서도 그 종교의 상위 개념을 확보했다. 신도는 제도적 '종교'라기보다는 조상숭배를 중심으로 하는 오랜 습속이자 전통으로서, 이 습속을 전 국민이 공유한다 해도 그리스도교, 불교와 같은 제도 '종교'를 차별하는 정책은 아니라는 논리를 내세웠다. 게다가 조상숭배 전통을 거슬러 올라가면, 일본 민족의 기원인 천황과 만난다는 해석을 통해, 집안에서 조상을 모시듯 천황을 모시는 것은 당연하다고 강조했다. 천황숭배는 종교적 강요가 아니라는 해석이 정치 논리에 성공적으로 적용된 사례인 것이다.

이것은 민간신앙 내지 습속으로서의 신도가 국가를 위한 종교로 변모하는 과정에, 종교·제사·귀신 등에 대한 정치적 재해석이 반영되어 있음을 잘 보여 준다. 그리고 해석에 개입된 정치적 의도에 따라, 제사 형식 내지 신앙 대상에 대한 이해도 달라질 수 있음을 보여 준다. 귀신에 대한 '담론'이 제사 양식을 재편해 가고, 국가적 체제에까지 영향을 주는 사례를 메이지 시대의 흐름을 통해 볼 수 있는 것이다.

야스쿠니 신사 참배의 의미

메이지 정부는 그 과정에 이른바 '호국영령'을 필요로 했다. 그들에게 제사를 지냄으로써 그 제사의 정점에 있는 천황이 숭배되고, 그를 통해 일본적 일치를 이루고자 했다. 그래서 만들어진 신사가 야스쿠니 신사이다. 그렇게 성립된 일본이기에, 국가적 구심점을 확보하기 위해서라면 국제적 비난에도 불구하고 총리가 호국영령의 전당인 야스쿠니 신사의 참배를 고집하는 것이다. 총리의 야스쿠니 참배가 일본 내에서는 문제가 되지 않거나 자연스러운 이유는 앞서 3장에서 보았듯이, 호국영령이야말로 억울하게 죽어간 전형적인 '원령(怨靈)'으로서 인간이 참배를 통해 위로하지 않으면 무언가 해코지를 할지도 모른다는 식의 신도적 정서가 기초에 놓여 있기 때문이다.

1945년 동지나해상에서 전사한 해군 중위의 유서. '천황폐하 만세, 대일본제국 만세' 등의 내용이 들어 있다. 야스쿠니 신사는 이러한 유서를 신사 입구에 설치해, 호국영령에 대한 추모의 마음을 갖도록 유도한다.

오늘날 조상신과 천황에 대한 신화적 의미는 약화되었지만, 그 신화성에 기반을 두고 생겨난 근대 일본적 체제는 여전히 유지되고 있다. 우리는 이를 통해 근대 일본을 이룬 정신의 근본에는 신적 존재에 대한 인간적 '해석'이 놓여 있다는 사실과, 종교 현상은 인간적 현상이기도 하다는 사실을 알 수 있는 것이다.

* 고야스 노부쿠니, 『귀신론』, 이승연 옮김, 서울: 역사비평사, 2006, 13쪽.

6. 그리스도교를 보는 일본인의 시각

한국에는 왜 그리스도교인이 많을까

일본에 머물면서 종종 받던 질문 중 하나는 한국에는 왜 그리스도교인이 그렇게 많은가 하는 것이었다. 그러면 나는, 여러 이유가 있지만 근본적으로는 일본 때문이라고 답한다. 일본에게 식민 지배를 받다 보니 상당수 한국인이 멸망한 나라의 기존 가르침보다는 새로운 종교나 사상에서 힘을 얻고자 했고, 그 힘이 서양의 강국, 특히 미국에서 온 그리스도교였다고 부연한다.

한국 그리스도교 관련 주제는 한국은 물론 아시아 종교문화사에서 대단히 중요한 논의거리이다. 문화가 엇비슷한 한·중·일 세 나라 가운데 유독 한국에서만 그리스도교의 세력이 커진 이유에 대해서는 일단 한국의 정치적 상황으로 설명하는 것이 타당하다. 물론 그 외에도 여러 가지 이유가 있다.* 그에 대한 답을 구체적으로 찾아보는 것은 다음 기회로 미루고, 여기서는 '일본에는 왜 그리스도교인이 별로 없는가' 하는 물음에 대한 답을 찾아보고자 한다.

일본에는 왜 그리스도교인이 적을까

2002년 일본 문화청의 조

동경부활대성당(東京復活大聖堂). 일본에 정교회를 전파한 니콜라이 선교사의 이름을 따서 1891년 완공한 일본 최대의 비잔틴 양식 건물. '니콜라이당' 이라는 이름으로 더 많이 불린다.

사에 의하면, 일본 그리스도교인은 191만 7,070명이다. 종교인 숫자가 두세 배 이상 중복 보고되는 일본의 상황을 감안하면, 실제 그리스도교인은 100만 명 남짓으로 파악된다. 1억 2,800만 명 가량 되는 일본 전체 인구의 1%에 못 미치는 수치인 것이다.

한국보다 더 오래 전에 전파되었음에도 불구하고 일본 그리스도교의 교세가 미미해진 데에는 여러 가지 이유가 있다. 유교, 불교 등 그리스도교에 버금가거나 그 이상 가는 종교적 가르침 내지 전통을 이미 경험해 본 탓에, 그리스도교라고 해서 그다지 새로울 것도 없었기 때문이라고 단순하게 답할 수도 있다. 또 현실적인 이유로, 그리스도교 도입 초기 일본 정부에 의해 조직적인 탄압을 받았기 때문이기도 하다. 그렇지만 더 근본적인 이유를 역사적인 차원에서 짚어보면, 일본인은 외래사상을 아래로부터 주체적으로 수용하기보다는 정치 지도자에 의해 위로부터 주어진 것에 순응해 온 경향을 보여 왔고, 그러다 보니 종교든 사상이든 개인적이고 민중적인 뿌리는 상대적으로 약한 편이었다는 식으로 풀어 볼 수 있을 것 같다. 정치적 상황이 한국과 달랐던 것은 더 말할 나위 없다.

다른 것을 통해 자기정체성 의식

유사 이래 일본에서 자생해 온

가장 민중적인 종교가 있다. 앞에서 살펴본 신도(神道)이다. 일본의 대표적 지성인 가운데 한 사람인 마루야마 마사오(丸山眞男, 1914~1996)가 분석하는 대로,** 신도는 일본정신의 뿌리이면서도 자체적인 완결성을 지니지 못하는 까닭에, 늘 다른 것의 도움을 받고서야 자기정체성을 의식하게 되는 불완전한 체계이다. 불교가 도입된 뒤 불교에 비추어 보고서야 자신들의 것을 돌아보게 되었다는 것이다. 달리 말하면 신도라는 뿌리에, 유교나 불교 같은 가지들이 덧붙여지면서 일본인 자신도 신도가 무엇인지를 비로소 알게 되었다는 것이다.

신도가 나무의 뿌리라면, 그 외의 종교 내지 사상은 이런저런 가지들에 비유할 수 있다. 뿌리는 파내기 힘들지만, 가지는 그만큼 쉽게 꺾일 수 있다는 뜻이기도 하다. 일본에 그리스도교가 자리 잡기 힘든 이유도 간략하게나마 이렇게 설명해 볼 수 있다. 일본에서 그리스도교는 큰 나무의 잔가지와 같다. 꺾어지고 말아도 생명에는 큰 지장이 없는. 일본인은 그리스도교를 보면서 신도와 같은 자신의 전통적 정체성을 더 생각하게 되는 경향이 있는 반면, 그리스도교의 일원이 될 사회적 이유는 거의 느끼지 못한다. 더군다나 특정 종교 공동체에 소속되어 정기 종교의례에 참여하는 식의 문화는 일본인에게 여전히 낯설다. 그저 문화화 내지 뿌리화한 신도적 분위기면 충분히 종교적인 것 아닌가 생각하는 경향이 여전히 강하다.

메이지 천황을 모시는 메이지 신궁 입구

기술은 서양, 정신은 일본

사실 이런 식의 종교적 분위기는 메이지 시대(1868~1912)에 극적으로 강화되고 확립된 것이다. 현대 일본의 틀을 확립했던 메이지 시대에 이르러 신도를 중심으로 하고 메이지 천황을 정점으로 하는 이른바 '국체(고쿠타이, 國體)'가 확립되었는데, 이 시기를 겪으면서 대다수 일본인은 신도가 가장 일본적이라고 생각하게 되었다. 그리고 막연하나마 일본적인 것에는 역사와 질서가 있는 데 비해 외래의 것은 새롭지만 무질서하다는 관념을 갖게 되었다. '근대'라는 것에 관한 한, 한국과는 정반대의 생각을 가지고 반대 방향을 걸어온 것이다.

가령 20세기 한국에서는 전근대적인 것이 타파의 대상이고 서양식 근대가 추구의 대상이었다. 일본에서도 서양 문화는 추구의 대상이기는 했지만, 한국과는 묘한 정서상의 차이가 있었다. 메이지 시대 일본에서는 오래된 전근대가 '질서적인' 것이었다면, 다양한 외래사상들이 뒤섞인 근대는 '무질서한' 것이라는 이해가 생겨났다는 사실이다. 무질서하게 밀려온 비전통적 사상들이 천황제를 정점으로 하는 전통적 질서와 대비되면서, 천황제 중심의 질서 잡힌 '전근대'가 외래 사상 내지 비전통 사상의 '근대'를 그대로 흡수하게 되었다. 물질문명 차원에서는 서양적 근대성을 추구했지만, 정신문명 차원에서는 전근대, 즉 전통을 고수하고 발전시켰다. 그리하여 서양화와 동일시되지 않는 근대화를 이룬 대표적인 나라가 된 것이다. 기술은 서양에서 빌리지만 정신은 일본의 것을 지킨다는, '화혼양재(와콘요사이, 和魂洋才)'라는 메이지 시대의 표어가 이것을 잘 설명해 준다.

외래적인 것들은 전통에 얹어진 가지

그러하다 보니 그리스도교를 위시한 외래의 근대적인 것들은 적어도 '정신적인' 차원에서는 신도와 같이 전근대적이고 전통적인 것에 얹어진 가지 수준을 넘지 못했다. 마루야마는 이것을 일본 사상의 '잡거성(雜居性)'이라고 말한다. 다양한 사상들이 잡다하게 머무는 분위기 속에서 일본적 정체성을 확인하게 되는 성향을 의미한다. 그리스도교는 '잡거적' 사상들 가운데 하나로서, 일본적 정체성을 확인시켜 주는 구실을 할 뿐인 것이다. 메이지 시대 신도가 국가종교화하고 천황제가 강화되면서, 오래된 유교나 불교에 비해서조차 황실과 조상을 모시는 신도가 더 일본적이라는 생각을 갖게 되었으니, 그리스도교가 이런저런 가지들 중 하나에 머물게 되는 것은 당연한 흐름 내지 결과였다고 할 수 있다.

이런 식으로 다양한 사상들을 받아들이되, 도리어 그 속에서 일본적인 것을 추구하는 경향은, 일본에서 근본적 변혁은 쉽지 않은 일이며, 보수적 내지 우익적 성향이 오늘날까지 지속되는 현상과도 연결되는 일본 사상사의 도도한 흐름이다. 만약 일본 내에서 크지는 않지만 종교 간 갈등이 생긴다면, 국가화한 신도적 분위기와 관련이 있을 것이라는 사실도 추측할 수 있다.***

* 이어지는 내용과 이 책 11장 「일본의 그리스도교와 불교」도 참조.

** 마루야마 마사오, 김석근 옮김, 『일본의 사상』, 한길사, 1998 참조. 일본의 탁월한 정치 사상가 마루야마의 소책자 『日本の思想』(岩波文庫)가 원본이며, 이 책은 현재 80쇄 가까이 출판되었을 만큼 일본 사상계에 끼친 영향이 크다.

*** 한국사에서 종교 간 갈등이 전혀 없던 것은 아니지만, 유교 중심 문화 속에서 단일 언어를 구사하는 한국인에게 종교 간 갈등은 낯선 현상이자 문화였다. 그런데 개항기 그리스도교가 도입되면서 문제가 발생하기 시작했다. 일본에게 식민 지배를 경험한 한국인이, 낯설면서 힘있게 느껴지던 그리스도교에서 새로운 힘을 찾고, 그리스도교인이었던 이승만 정권 이후 근대화의 바람을 타고 그리스도교는 한국인에게 급속히 스며들었다. 힘을 얻은 그리스도교는 한국의 기존 종교문화 전통에 도전적으로 작용하면서, 적지 않은 갈등을 야기하기도 했다. 오랫동안 다종교 사회 일본도 전반적으로는 종교 간 갈등이 거의 없는 편이었다. 에도 시대와 메이지 시대를 거치면서 그리스도교의 도입을 적극 제재한 탓에 그리스도교는 일본 내 지극히 소수자에 머물렀고, 따라서 그리스도교로 인한 갈등이 있을 까닭도 별로 없었다. 그러다 근대 일본에서 종교 간 갈등이 생기기 시작했다면, 그것은 오히려 신도가 국가화하면서부터이다. 일본은 메이지 시대를 거치면서 국가신도 중심의 사회로 급속히 변모했다. 제2차 세계 대전 패전 이후 미군정 하에서 정교일치는 법적으로 사라졌지만, 신도를 중심으로 한 국가주의적 분위기는 일부에서 여전히 지속되고 있다. 그로 인해 국가로부터 자유로워지려는 종교적 흐름과 국가 중심적 분위기를 유지하려는 기존 흐름 간에 보이지 않는 갈등들이 지속되고 있는 중이다.

III. 일본의 불교와 근대 문화

일본인이라면 대부분 신도적 문화에 익숙하지만,

'종단' 으로서의 종교를 떠올릴 때는

불교를 연상하는 것이 보통이다.

신도를 포용하면서도 신도를 넘어선

보편 종교로서의 모습을

일본 불교사가

증언해 주고 있는 것이다.

7. 신불습합을 넘어 일본적 불교로

일본 불교의 시작

주지하다시피 일본 불교는 백제로부터 전래되면서 시작되었다. 일본 기록에 따르면 공식적인 기록은 538년(간메이천황 13년)이라고 하는데, 실제로는 그 이전부터 백제에서 건너온 사람, 이른바 '도래인(渡來人)'을 중심으로 불교가 신봉되고 있었던 것으로 알려지고 있다. 당시 신봉되던 붓다(佛)는 기존 민간신앙의 이런저런 '가미들'에 비해 좀 더 힘센 신으로 간주되었고, 씨족 집단의 수호신처럼 받아들여졌다는 점에서, 초기 불교는 토착적 민간신앙의 종교적 정서와 본질적으로 다르지 않았던 것으로 보인다.

상호 융합된 불교와 신도

실제로 일본의 민간 신앙에서는 신(神)과 불(佛)이 거의 같은 차원에서 사용될 때가 많다. 앞에서 살펴본 대로 다양한 신들을 일본말로 '가미'라 한다. 그리스도교에서의 신(神)도 그저 가미이다. 그리스도교인들은 좀 더 정중한 표현인 '가미사마'라는 표현을 쓰지만, 하느님 또는 하나님이라는 별칭을 사용하는 한국과는 달리, 일본 그리스도교의 신은 전체적으로 가미의 연장이다. 그만큼 가미의 쓰임새는 광범위하다. 그렇지만 보통은 신도(神道) 그리고 자연 종교를 중심으로 한 일상 언어에서 더 많이 쓰이는 경향이 있다.

일본어로 '호토케' 내지 '부츠'는 붓다를 가리키는 불교적 언어이다. 그렇다면 당연히 '신'과 '불'은 별개의 장소에서 따로 사용되어야 할 것 같지만, 일본 민중종교에서 이들은 '신부츠(神佛)'라는 한 단어로 묶여 사용될 때가 많다. 일본인에게 자연종교의 각종 신(神)들과 불교의 붓다(佛)가 같은 차원에서 받아들여져 왔거나 동일시되기도 했다는 뜻이다. 또한 불교와 신도가 오랜 세월에 걸쳐 상호 융합되어 왔음을 의미하기도 한다. 불교 입장에서 보면, 신도적 종교 현상을 자신 안에 수용하면서 일본 안에 토착해 왔다는 뜻이기도 하다. 이것을 '신불습합(神佛習合)'이라고 한다.

불교의 신도 포섭

신불습합을 좀 더 구체적으로 말하면, 신도의 신(가미)을 불법의 수호자라고 생각한다든지, 역으로 신도의 신(가미)은 부처의 도움을 얻어야 해탈한다고 생각한다든지 하는 사고방식 내지 현상을 가리킨다. 그래서 불교에서는 이런저런 가미에 보살의 칭호를 부여하기도 했다. 신불습합은 일본 불교사에서도 빼놓을 수 없는 주제이기에 좀 더 명확히 짚고 넘어가기로 한다.

불교가 흥했던 헤이안 시대(794~1193), 일본 진언종의 창시자인 구카이(空海 [弘法大師], 774~835)는 부처와 보살이 나라마다 서로 다른 신으로 나타났는데, 일본에서는 가미의 모습으로 나타났다고 말했다. 일본 천태종의 개조인 사이초(最澄 [傳教大師], 767~822)는 태양의 신 아마테라스가 대일여래(大日如來)의 현현이라고 보았다. 중생 구제를 위해 부처가 일본에서 가미의 모습으로 나타났다는 것이다. 이러한 입장을 '본지수적설(本地垂跡說)' 이라 한다.

불교와 신도의 만남

불교와 신도의 상호 융합적 흐름이 지속되면서 가마쿠라 시대(1192~1336)에 이르면, 대부분의 신사에서 불교식 의례와 승려들을 위한 자리를 마련했고, 신도의 각종 의례에 불교적 요소가 개입되기도 했다. 메이지 시대에 들어 '신불 분리정책' 이 공식적으로 시행된 이래 이들은 별개의 공간으로 구분되어 왔지만, 승려와 신주가 동일 영역 안에 머물러도 어색하지 않은 것은 오랜 세월에 걸쳐서 이루어진 일본적 현상이었다. 일본 천태종의 본산인 교토(京都) 엔랴쿠지(延曆寺)에서 신라의 신(神)으로 추측되는 히에(日吉) 신을 제사 지냈던 일이나, 도쿄 남부 가마쿠라 최대의 신사인 츠루가오카하치만구(鷄岡八幡宮)의 주신인 오진(應神) 천황은 본래 불교의 아미타여래였다고 하는 주장들은 그 사례들이다.

지금도 사찰 안에 신사가 함께 있는 모습을 종종 볼 수 있다. 도쿄에서 가장 큰 사찰이자 관광 명소인 센소지(淺草寺) 바로 옆에 아사쿠사 신사(淺草神社)가 공존하고 있는 것도 넓게 보면 신불습합의 한 예이다. 신불습합은 불교가 민간 전통과 만나면서 발전해 왔다는 뜻이자, 그런 의미에서 불교가 지극히 '일본적인' 종교 현상이라는 것을 의미하는 상징적인 사례라 하겠다.

물론 일본 불교가 모두 신도와 습합된 것은 아니다. 한국 사찰에 산신각이나 칠성각이 있다고 해서 그것으로 한국 불교의 특성을 전부 설명할 수 없는 것과 같은 이치이다. 일본 불교의 독특성과 사상사적 위대성은 토착신앙을 흡수하면서도 불교 본연의 자세를 구현하기 시작한 사이초, 구카이 등 출중한 승려들이 배출되면서 드러나고 확립되었다. 초기 일본 불교는 쇼토쿠 태자(聖德太子, 574~622)가

호류지(法隆寺, 한국인에게는 고구려 승려 담징[曇徵]이 그린 금당[金堂] 벽화 때문에 더 유명하다.)를 건립하고 친히 경전 주석서를 집필하는 등 깊은 신심을 가지고 공식적으로 불교 융성책을 편 이후, 국가적 혹은 관료적 경향을 띠며 전개되어 오다가, 점차 사이초나 구카이 같은 창조적인 사상가들을 거치면서, 개인적 감성을 충족시켜 주는 종교로서는 물론이거니와 심오한 철학적 체계로서도 자리를 잡기 시작했다.

도쿄 소재 아사쿠사신사(淺草神社) 안에 각종 불보살들이 십이간지에 따른 수호 본존으로 적혀 있다.

아사쿠사신사는 불교사찰 센소지(淺草寺)와 같은 경내에 있으며, 신도의 세계관이 이처럼 불교와 습합되어 있는 것은 아주 자연스럽다. 한국 사찰에 칠성각 등이 공존하는 것과 비슷한 이치라고 할 수 있다.
아래 사진은 센소지 경내로, 센소지와 아사쿠사 신사 주변은 도쿄 내에서도 유명한 관광지이다.

일본 불교를 융성시킨 사상가들

사이초는 쇼무 천황(聖武天皇, 701~756) 시절 국난을 극복하고 황실을 보전하기 위해 세워진 도다이지(東大寺)에서, 당시 승려가 되는 관례에 따라 수계(受戒)한 뒤, 교토의 히에이잔(比叡山)에 암자를 짓고 수행했다. 그러다가 804년 당나라 유학길에 올라 8개월 가량 머물면서 천태 사상을 배워 귀국한 뒤, 다시 히에이잔에 머물면서 오늘날의 엔랴쿠지(延曆寺)를 이루었다. 사이초는 일본 천태종의 개조가 되었고, 그가 세운 엔랴쿠지는 일본 천태종의 총본산이 된 것이다. 당시 엔랴쿠지의 영향력은 막강했다. 일본의 대표적인 대승불교 확립자들, 즉 정토진종(조도신슈, 淨土眞宗)의 개조인 신란(親鸞), 조동종(소토슈, 曹洞宗)의 개조인 도겐(道元), 일련종(니치렌슈, 日蓮宗)의 개조인 니치렌(日蓮) 등 일본 불교의 기초를 닦은 빼어난 사상가들 대부분이 이곳에서 수계했다. 천태종의 총본산인 엔랴쿠지가 사실상 일본 대승불교 전체의 본산이나 다름없는 역할을 한 셈이라 할 수 있다.

사이초와 함께 초기 일본 불교의 구심점을 이룬 구카이는 803년 도다이지에서 수계한 뒤, 다음해 중국으로 건너가 중국 진언종(眞言宗)의 창시자인 혜과(惠果)를 만나 밀교(密教)를 배운 뒤 귀국했다. 구카이로 인해 일본에 전파된 밀교는 주술성이나 신비성으로 인해 대중에게도 인기가 높았다. 구카이가 밀교적 교의의 실천을 위해 고

도다이지(東大寺) 대불전. 도다이지는 쇼무(聖武) 천황이 국난을 극복하고 황실을 공고히 하기 위해 백제계 후손인 교기(行基, 668~749)에게 요청해 752년 건립한 화엄종 계열의 사찰이다. (교토 소재)

야산(高野山)에 터를 마련하고 816년에 세운 절이 오늘날의 곤코부지(金剛峯寺)인데, 이 사찰이 일본 밀교, 즉 진언종(신곤슈, 眞言宗)의 총본산이다. 곤코부지가 본사라면 말사에 해당하는 사찰은 4천 이상을 헤아릴 정도로 규모가 방대하다. 일본에서 진언종은 소속 승려가 1만 명 이상, 일반 신자가 600만 명 가량 되는 방대한 종단이라고 할 수 있다.

이와 함께 신란(親鸞, 1173~1262)에게서 비롯된 정토진종의 본산 혼간지(本願寺)는 더 큰 규모를 자랑한다. 혼간지야말로 일본 불교를 대표하는 사찰이라고 할 수 있다. 신란의 가르침을 쉽게 풀어쓰면서 오늘날 정토진종(조도신슈, 淨土眞宗)의 민중적 기초를 놓은 렌뇨(蓮如, 1415~1499)가 주지를 맡으면서 혼간지는 당시 봉건시대의 지역

곤코부지(金剛峯寺) 서탑(西塔). 곤코부지는 구카이가 해발 900m 높이의 고야산에 교법으로 나라를 보호하고 인간을 구제하고자 세운 도량으로서, 강당, 승방, 대답, 서탑 등을 밀교 교리에 따라 배치했다. 구카이는 사찰이 건립되기 전에 타계했고, 제자인 신넨(眞然)이 뒤를 이어 완성했다.

통치자이자 실세 계급인 다이묘(大名)에 맞먹는 엄청난 세력으로 성장했다. 오늘날의 오사카(大阪)는 이 혼간지의 문전 거리가 발전하면서 커진 도시라고 할 수 있다.

세속적 세력에서도 강성해 가던 혼간지는 그 뒤 다이묘들을 굴복시키고 오늘날 일본의 거의 절반을 통일한 당대의 명장 오다 노부나가(織田信長, 1534~1582) 측과의 대결에서 사실상 패한 뒤, 1602년에는 니시혼간지(西本願寺)와 히가시혼간지(東本願寺)로 분리되었다. 이 가운데 사실상 혼간지의 주류에 해당하는 니시혼간지가 규모 면에서

정토진종 히가시 혼간지(東本願寺) 입구

더 큰데, 현재 승려수가 3만 2,000명 이상에 이르며, 1만 개 이상의 산하 사찰이 있을 정도로 방대하다. 일본인이라면 대부분 신도적 문화에 익숙하지만, '종단' 으로서의 종교를 떠올릴 때는 불교를 연상하는 것이 보통이다. 신도를 포용하면서도 신도를 넘어선 보편 종교로서의 모습을 일본 불교사가 증언해 주고 있는 것이다.

8. 일본의 장례문화와 불교

고대 일본인의 죽음관

인간에게 죽음은 거부하고 싶지만 거부할 수 없는 숙명이다. 죽음을 거부하는 단순한 이유는 손상되어 가는 시체에서 자신의 미래가 보이기 때문이다. 자신도 그렇게 썩어가는 시체가 된다는 것이 두렵기 때문이다. 특히 죽음과 죽임, 그리고 주검을 직접, 그것도 자주 목격하며 살던 고대인일수록 시체는 피하고 싶은 부정(不淨)한 것이었다. 시체가 회피의 대상이었다는 것은 죽은 이들이 부정한 세계 속에 있다고 믿어졌다는 뜻이기도 했다. 이것은 고대 일본인의 시각을 잘 반영해 준다. 가령 중국의 『위지(魏誌, 倭人傳)』에 기록된 대로, 일본인이 죽은 이를 땅에 묻고는 근처 강물에서 몸을 씻고서야 일상생활로 돌아갔다는 것은 고대 일본인이 죽음 내지 주검을 부정한 것으로 간주했다는 것을 보여 준다.

죽음의 정화 기술, 불교

주지하다시피 일본인에게 천황은 존경을 넘어 숭배의 대상이었다. 천황 숭배는 사후에조차 천황이 정결한 상태에 있다고 믿을 때 가능한 일이다. 그러려면 사후를 정결하게 해 주는 절차 내지 의례가 있어야만 했는데, 고대 일본인에게는 그것이 바로 불교였던 것이다. 일본인은 죽은 이들이 부정을 면하도록 하는 의례를 불교로부터 배웠다. 특히 황실이 언제까지고 정결하게 받들어지도록 해 주는 데 기여한 것이 불교의 사후 정화의식 같은 것이다. 이것은 일본의 불교가 흔히 상상하는 것처럼 고도의 철학 체계로서보다는 죽음을 정화시키는 주술적 체계로 받아들여졌음을 의미한다. 그리고 이것은 현대 일본인이 갖고 있는 불교에 대한 일반적인 이미지에서도 드러난다.

불교에 대한 이미지

불교학자 마츠오 겐지(松尾剛次)가 승려에 대한 일본인의 이미지를 다음과 같이 정리한 적이 있다. 승려란 '승려의 아들로 태어나 절에서 살면서 불교를 공부하고, 삭발하고 법명을 받고 나서는, 승려의 복장을 하고서 장례의식을 비롯하여 종교 의례를 하는 사람' 이다.* 일본인에게 승려는 장례의식을 주관하는 사람, 그리고 결혼을 하고 사찰은 자식에게 대물림하는 사람이라는 이미지가 강하다는 것이다. 이러한 정리는 일본 불교의 특징을 잘 보여 준다.

물론 여기에는 불교에 대한 비판이 살짝 들어 있다. 언젠가 도쿄의 한 식당에서 다양한 종교 현상에 관심이 많은 한 일본인과 대화하다가 그가 일본 스님들은 '부모에게 물려받은 절에서 장례식으로 먹고 사는 사람들' 이라고 하는 것을 들은 적이 있다. 다소 불교 폄하적인 듯한 발언이기는 해도, 특히 장례식으로 먹고 산다는 말은 일본인의 불교관을 상당 부분 반영하고 있다는 점에서 과히 틀린 말이 아니다. 스님이지만, 수행자로서보다는 생계가 거의 보장된 하나의 직업인으로서의 이미지가 그 못지않게 느껴진다는 것이다.

묘지 값 삼백만 엔

실제로 일본 사찰 어딜 가든 뒷마당에는 상당한 규모의 납골 묘원이 있다. 재료나 주변 환경에 따라 다르기는 하지만, 사찰에서 관리하는 1㎡ 정도의 석재 묘지 값은 대략 200만~300

도쿄 남부 가마쿠라에 있는 임제종 소속 엔가쿠지 내 묘지 분양 안내문. 0.8㎡는 316만 엔, 1㎡는 363만 엔 정도라고 광고하고 있다.

만 엔 정도에 분양된다고 한다. 그 납골묘의 유지 관리와 사후 의례는 당연히 해당 사찰에서 한다. 사망 후 7일, 35일, 49일째 집에서 제사를 지내며, 그 뒤에는 사찰에서 1년, 7년 등 일정한 기간마다 공양을 드린다. 묘지 분양, 공양 때 후손들이 치러야 하는 비용이 사실상 사찰 유지의 주요 원천이라는 것은 주지의 사실이다. 그러니 장례식으로 먹고 산다는 식의 일반인의 불교관에 대해, 불자라고 해서 비난하거나 거부할 만한 일도 아니라고 생각된다. 실제로 사찰 유지의 핵심에 장례식과 사후의 이런저런 제사의식이 있기 때문이다.

죽음 관리의 역사

일본 사찰에서 죽음을 관리하기 시작한 것은 공

식적으로는 에도 시대(1603~1876)부터이지만, 실상 그 기원은 이전으로 거슬러 올라간다. 일본 불교 초기에 승려는 국가와 황실의 안위를 위해 기도하는 일종의 관승(官僧), 그러니까 국가의 관료나 다름없었다. 황실과 국가의 통제를 받는 승려는 주로 황실의 안위를 위한 종교행사를 주관했던 만큼, 일상과 다른 삶의 자세를 요구받는 이른바 '성스러운' 존재여야 했다. 따라서 시체를 접촉하는 식의 부정 탈 만한 일을 해서는 안 되었다. 일본 불교 초기만 해도 승려가 장례에 종사하는 일은 상상하기 힘든 일이었던 것이다.

사실상 일본 불교의 본산이나 다름없는 교토 히에이잔 엔랴쿠지에 엔랴쿠지 출신 고승들의 초상화가 걸려 있다. 사진 왼쪽이 신란, 오른쪽이 호넨이다.

그러다가 가마쿠라 시대(1192~1336)에 들어서, 호넨(1133~1212), 신란(1173~1262), 도겐(1200~1253), 니치렌(1222~1282) 등 관승의 분위기에서 벗어나 개인의 구원을 지향하는 출중한 승려들이 나타났다. 그들은 국가 통제에서 벗어나 개인적 깨달음을 추구했고 민중의 구원을 도모했다. 그들의 시각에서 보면, 주검을 접하는 일은 부정 타는 일이라기보다는 인간의 구원을 위해 필요한 일이었다. 이것은 당시로서는 어느 정도 혁명적인 발상이었다. 그렇다고 해서 대번에 장례 불교로 바뀐 것은 아니지만, 이러한 지도자들이 배출되면서 '죽음'을 관리하는 절차가 점차 사찰 안으로 들어오는 계기가 되었다고 할 수 있다.

장례 불교의 시작

일본 불교가 오늘과 같은 면모를 갖추게 된 것은 에도 시대(1603~1876)부터이다. 도요토미 히데요시(豊臣秀吉) 사후 일본의 권력 구도가 흔들리던 즈음, 관동 지방을 거점으로 하던 도쿠가와 막부가 세키가하라(關ヶ原) 전투에서 승리하면서 새로운 통일 정권이 출범했는데, 그것이 에도 막부이다. 도쿠가와 막부로도 불리는 이 에도 정부는 사원법 제도 실시를 통해 불교를 통제하는 동시에 권력 강화를 위해 불교를 이용하기도 했다. 특히 당시 도입되

도쿄 도내 진언종 소속 도엔지(東圓寺)라는 작은 사찰 내 납골묘원의 모습. 사찰은 동네 어디서나 흔하게 볼 수 있고, 또 대부분의 사찰마다 민가와 거의 붙어 있다시피 한 납골묘원을 두고 있으니, 일본인은 한국인에 비해 죽음이라는 사건에 대해 생각하며 살 기회가 많다고 할 수 있다.

기 시작하던 서양의 그리스도교 선교를 억제하기 위해, 사찰을 통해 개인의 종교 여부를 확인하고 개인의 신상을 사찰에 등록하게 하는 종문개 제도(宗門改制度)를 의무적으로 시행하도록 유도했다. 일본에 그리스도교가 자리 잡지 못한 데에는 여러 가지 이유가 있지만 이러한 국가적 정책이 추진된 결과이기도 하다.

그리고 에도 시대에 이르러서는 신도가 보시를 통해 사찰을 재정적으로 지원하고, 사찰은 그 집안의 장례나 종교 의례를 담당하는 단가 제도(檀家制度)가 시행됐는데, 이때부터 일본 불교는 일본 일반인의 생사 문제와 뗄 수 없는 관계 속에 놓이게 되었고, 동시에 국가 운영 시스템의 한복판으로 들어서게 되었다.

에도 정부는 한편에서 주자학을 통치이념으로 삼기도 했지만, 당시 주자학의 종교성은 불교만 못했기에, 민중은 대체로 불교와 신도에게서 종교적 욕구를 충족시켰고, 불교는 정부 정책에 적절히 이용되었다. 당시의 불교 중심 정책으로 인해, 사찰이 신자를 찾아다니지 않아도 사람들은 장례나 제사를 위해 사찰을 찾을 수밖에 없게 되었고, 일본 불교는 급기야 '장례불교'(일본어로는 葬式佛教)라는 소리까지 듣게 되었다. 그리고 이 장례불교는 일본 불교의 특징처럼 자리 잡게 되었다.

죽음의 관리자, 불교

일본에서는 사람이 죽으면, 그날 밤 가까운 친지나 친구들이 모여 함께 밤을 샌다. 이를 '오쯔야(お通夜)'라고 하는데, 유명한 일본 영화 「도쿄타워」에도 남자 주인공의 어머니가 암으로 사망하자 어머니와 가깝게 지냈던 아들의 친구들이 집에 모여 왁자지껄 하룻밤을 같이 지내는 장면이 나온다. 오쯔야는 우리나라의 전통적 상가(喪家) 풍경과 크게 다르지 않다. 그리고 보통의

경우 다음날에는 일반 조문객을 위한 고별식이 열린다. 그때 부의금도 내고 분향도 하고 조화도 바치며 스님이 와서 독경을 한다. 그 다음날에는 가족과 친지가 관 속의 시신과 마지막으로 인사하는 절차를 거쳐 시신은 화장장으로 향한다. 화장장에서 유골이 된 시신은 보통 집안에서 49일간 모셔진다. 49일째 되는 날, 그 집안이 등록되어 있는 사찰에 묘지를 마련하고 납골을 한다. 그때 사찰에서는 망자에게 법명을 주고 적절한 법문이 적힌 나무판을 납골 묘지에 공양하는 것으로 장례 절차는 마무리된다.

일본에서는 법적으로 화장(火葬)이 의무화되어 있다. 700년에 승려 도쇼(道昭)가 처음으로 화장되고, 지토(持統) 천황(645~703)을 필두로 황실에 화장 문화가 소개된 이래, 고분 문화는 점차 자취를 감추기 시작했고 능의 규모도 작아지기 시작했다. 이렇게 화장 문화가 보급되다가 메이지 시대 이후에는 정부의 정책, 도시화에 따른 땅값 상승 등의 이유가 겹쳐지면서 매장의 가능성은 거의 차단되기에 이르렀다.

어찌되었든 일본에서 시신이 향하는 마지막 장소는 대부분 사찰이다. 불교 외 종교단체에서도 별도의 납골묘원을 두기도 하지만, 대다수의 일본인은 사찰에 안치되는 것을 당연하게, 또 자연스럽게 여긴다. 생전에는 그리스도교인이었던 사람도 사후에는 사찰 납골묘원으로 향하는 경우가 많다. 그 정도로 일본인의 사생관 내지 장례문화와 관련해 불교를 빼놓고 말한다는 것은 불가능하다. 승려는 장례식 덕에 먹고 사는 존재라는 볼멘소리도 있지만, 일본인은 자신의 죽음과 그 이후를 결국 불교에 맡기고 산다는 점에서 일본에서 불교는 가장 종교적인 역할을 담당하고 있다고 할 수 있다.

* 마츠오 겐지, 김호성 옮김, 『인물로 보는 일본 불교사』, 동국대학교출판부, 2005, 17쪽.

9. 일본 불교를 세운 이들

일본 불교의 실질적 시작

앞장에서도 살펴보았지만, 일본 불교 초기의 승려는 국가와 황실의 안위와 보전을 위해 일하는 일종의 관료, 즉 관승(官僧)이었다. 그러다가 점차 민중과 접촉하는 일이 자연스러워졌는데, 이것은 사이초(最澄, 767~822)나 구카이(空海, 774~835) 같은 뛰어난 고승들이 출현하면서부터이다. 사이초로부터는 일본 천태종이 시작되었고, 또 구카이로부터는 밀교(진언종)가 소개되고 전개되는 등 이들의 활동은 향후 일본 불교의 토대가 되었다.

특히 교토 히에이잔(比叡山) 엔랴쿠지(延曆寺)를 본산으로 하는 천태종은 후에 일본 불교의 확립자들이라 할 수 있을 호넨, 신란, 도겐, 니치렌 등 출중한 승려들을 배출하였다. 일체 중생은 본성상 이미 깨달아 있다는 천태종의 본각(本覺) 사상과, 이 몸 그대로 부처가 된다는 진언종의 '즉신성불(卽身成佛)' 사상이 이들의 세계관 속에 새롭게 녹아들어 가면서, 구제의 대상이 일반인에게까지 확장되는 이론적 기초로 작용했다. 이들로부터 국가 중심의 불교가 개인 구원을 향한 순수한 종교 운동으로 변모한 것이다.

사람을 정화시키는 염불

호넨(法然, 1133~1212)을 위시한 새로운 불교의 주창자들은 처음에는 국가의 통제 하에 있던 엔랴쿠지에서 수계하고 공부했지만, 후에는 관료적 분위기에서 벗어나 개인적 깨달음을 추구하고, 민중에게 구제의 손길을 뻗쳤다. 종교적 평등성을 확신하고서, 민중에게도 죽음의 부정함을 극복하고 정결해지는 길을 열어 주기 시작한 것이다.

특히 호넨은 죽은 이들을 정화시켜 주는 염불이 아닌, 살아 있는 이들을 정화시켜 주는 염불을 강조하고 가르쳤다. 생시에 "나무아미타불"('아미타부처님께 귀의합니다'라는 뜻으로, 일본어 발음은 '나무아미다부츠')을 염하며 정토(淨土)의 자비로운 주재자 아미타불에 귀의하는 이는 누구나 그 정토에 태어난다고 가르쳤다. 이 때문에 석가모니불 신앙이 약해진다는 비판도 있었지만, 신적 존재의 이타적 자비

일본의 국보인 가마쿠라 다이부츠(鎌倉大佛). 1252년 청동으로 조성된 13.4미터 높이의 아미타불 좌상으로서, 도다이지 다이부츠(東大寺大佛)에 이어 일본에서 두 번째로 큰 좌불상이다. 아미타불은 서방정토의 주재불이라는 점에서 가마쿠라 시대의 정토신앙을 잘 보여 준다.

심에 기대려는 상당수 중생이 이러한 염불 신앙에 의지하면서 일본에서 정토 신앙은 크게 확산되었다.

선인도 왕생하는데 하물며 악인이랴

호넨의 제자였던 신란(親鸞, 1173~1262)은 "선인도 왕생하는데 하물며 악인이랴"라는, '악인정기

설(惡人正機說)’을 주창했다. 무언가 주체적으로 행할 수 있는 능력 있는 이들은 부처님께 의지하려는 마음이 약하지만, 아무런 능력 없는 이들은 어쩔 수 없이 부처님께 의지하려 들기 때문에, 무력하고 심지어 악하기까지 한 이들이 아미타불의 구제 대상인 것은 당연하다는 것이다. 그런데 아미타불은 구제의 필요성이 없을 것 같은 유능한 선인들도 정토에 왕생하게 하니, 무능력한 악인이 구제되는 것은 더 당연하다는 것이다. 이러한 역설적 발상을 통해 신란은 아미타불의 보편적이고 이타적인 자비심을 강조했고, 아미타불에 대한 믿음 하나면 생전의 온갖 허물도 가려진다고 믿는 중생이 몰리면서 ‘정토진종(조도신슈, 淨土眞宗)이 탄생되었다.

신란은 당시로서는 드물게 결혼을 한 승려였다. 그리고 제자들에게 결혼을 독려하기도 했다. 종교[僧]와 일상[俗]의 경계를 허무는 적극적인 시도로 해석될 만한 이 일은, 후대에 승려의 결혼이 정당화되는 숨은 원인으로 작용하게 되었다. 근대 메이지 유신기에 국가

교토 소재 정토진종 히가시혼간지(東本願寺) 입구에 걸린 현판의 법어. “신심 있는 자는 그 마음 이미 정토에 머문다.”는 말로, 신란의 사상을 잘 보여 준다.

에서 승려의 결혼을 공인하자(1872), 공식적으로 결혼을 선언하는 종단도 늘어났고, 급기야 일본 불교는 '대처불교(帶妻佛敎)' 라는 소리를 듣게 되었다는 점에서 그렇다.

일심으로 좌선하라

또 한 사람 도겐(道元, 1200~1253)은 보조 지눌이나 태고 보우를 빼고 한국 선불교를 얘기할 수 없듯이, 일본 선종(禪宗)의 실질적 원조나 다름없다. 도겐은 청소나 취사 같은 허드렛일도 일종의 종교적 수행 차원에서 긍정적으로 해석했고, 여성의 출가와 수계를 인정하는 등 차별적인 사고방식과 관습을 철폐하고자 했다. 무엇보다 도겐은 '나무아미타불' 과 같은 타력적(他力的) 염불을 비판하면서 오로지 자력적(自力

조동종의 확립자인 도겐선사 현창비(가마쿠라 소재)

的) 좌선에만 집중했다. 그에게는 좌선이야말로 깨달음으로 가는 유일한 길이었다. 그의 좌선 중심주의는 말년에 이르러 출가 중심주의로 이어졌다. 출가해 일심으로 좌선 수행해야 성불할 수 있다는 것이었다. 그의 가르침을 따르는 제자들로 인해 일본에서는 '조동종(소토슈, 曹洞宗)'이 하나의 종단으로 성립할 수 있었다.

"나무묘호렌게교" 외우면 성불

일본 불교의 독특성을 제대로 보여 주는 이가 있다면 니치렌(日蓮, 1222~1282)이다. 그는 극단적일 정도로 「법화경」만을 신봉하고 추구했다. 법화경의 본래 이름인 '묘법연화경(묘호렌게교妙法蓮華經)에 귀의한다'는 주문, 즉 '나무묘호렌게교(南無妙法蓮華經)'를 외우는 것만으로도 성불할 수 있다고 강하게 가르쳤다. 그렇게 외우기만 해도 일본의 시조신이라고 할 수 있을 아마테라스오오미가미(天照大御神)*, 하치만다이보사츠(八幡大菩薩)를 비롯한 일본의 여러 신들이 보호해 준다고 믿었다. 법화경 이전의 경전은 부처님의 가르침을 제대로 담지 못했다고 보았고, 정토종에서 행하는 염불 신앙을 부정했다. 세속 권력을 부정하며 정권에 도전적이기도 했지만, 일본을 「법화경」의 나라로 만들기 위해서라면 정권을 이용하는 것도 서슴지 않았다.

이러한 그의 양면성과 타종파에 대한 배타적 자세는 종종 비난의 대상이 되었고, 당시 정권으로부터 심한 탄압을 받기도 했다. 하지만 그의 열정은 후에 일련종(니치렌슈, 日蓮宗)의 성립으로 이어졌고, 일단의 일본인에게 석가모니불 이상의 숭배 대상이 되었다. 대표적 신종교인 소카가카이(創價學會)는 니치렌의 사상을 계승하고 있으며, 릿쇼코세이카이(立正佼成會)의 개조인 니와노 닛쿄(庭野日敬)에게서도 니치렌의 영향이 적지 않게 발견된다는 점에서, 그가 일본 종교사에 끼친 영향은 엄청나다고 할 수 있다.

니치렌의 일본 사상사적 독특성에 대해서는 우치무라 간조(內村鑑三, 1861~1930) 같은 일본의 대표적인 그리스도교 사상가조차 마음속 깊은 곳으로부터 인정하며 또 존경하기도 한다. 우치무라는 니치렌이야말로 일본이 배출한 가장 대표적인 일본인이라면서 다음과 같이 강조한다.

> "이 인물(니치렌)을 위해 필요하다면 나의 명예를 걸 각오가 되어 있다.", "실로 성실한 인간, 가장 정직한 인간, 일본인 중에 그 이상 없을 용감한 인간"이며, "참으로 훌륭한 인물, 세계적 위인 반열에 세워도 최대급의 인물이다.", "니치렌의 독창성과 독립심으로 불교가 일본의 종교가 되었다. 다른 종파가 어떤 것이든 인도, 중국, 조선인에게 빚지고 있는 데 대해, '일련종(니치렌슈, 日蓮宗)' 만은 순수하게 일본인에

도쿄에 있는 일련종 계열 묘호지(妙法寺) 내 니치렌 상

게 연원을 두고 있다." **

개조 신앙과 일본 문화

일본 불교의 특징이 있다면, 세계종교로서의 보편성보다는 자기 집단을 세운 개조(開祖) 내지 법주(法主)에 대한 신앙이 두드러진다는 사실이다. 그래서 정토진종(조도신슈, 淨土眞宗)에서는 신란을, 일련종(니치렌슈, 日蓮宗)에서는 니치렌을 석가

모니 이상으로 숭배한다. 이들 자체가 기도의 대상이 되는 것이다. 이런 현상은 일련종 계열에서 좀 더 두드러지는 듯하지만, 어찌 되었든 이것은 초월적이고 보편적인 세계보다는 구체적 현실을 즐기는 것으로 만족해 온 일본인의 정서를 잘 보여 준다. 그리고 세계에 두루 통하는 불교적 보편성이나 석가모니불보다는 자신에게 신앙의 세계를 알려준 개조를 존중하는 분위기는 일본인의 현세적, 그리고 자기집단 중심적 경향의 반영이기도 하다. 보편성이나 추상성보다는 특수성이나 구체성에 집착하는 경향은 불교만이 아니라 일본 종교, 아니 일본 문화 전반에서 나타나고 있는 현상이라고 할 수 있다.

* 『고사기』(고지키, 古事記, 712)에는 '아마테라스오오미가미(天照大御神)'로, 『일본서기』(니혼쇼키, 日本書紀, 720)에서는 '아마테라스오오가미(天照大神)'로 표기하고 있다. 이 글에서는 관례상 좀 더 오래된 문헌으로 간주되는 『고사기』의 표현을 따르고자 한다.

** 內村鑑三, 『代表的日本人』, 鈴木範久譯, 岩彼文庫, 1997, 171~176쪽.

10. 법화경의 후원을 받아 온 나라

법화경의 나라

일본은 일반적인 의미에서의 종교적인 나라는 아니다. 한때 불교가 융성했고 현재에도 종단으로서의 종교 이미지가 가장 강한 것이 불교이기는 하지만 불교 국가라고 하기는 어렵다. 이번 장의 제목을 '법화경의 후원을 받아온 나라'로 잡았다고 해서 일본 국민이 「법화경」을 잘 안다는 뜻은 아니다. 그럼에도 불구하고 일본 종교사에서 영향력이 큰 문헌 하나를 꼽으라면, 현재의 비종교적 혹은 탈종교적 분위기에도 불구하고, 그것은 「법화경」이 아닐까 싶다. 한국 불교에서도 대승불교의 대표적 경전들인 「금강경」, 「화엄경」, 「법화경」 등을 중시하지만, 일본에서는 그 가운데 「법화경」의 영향력이 좀 더 두드러진다. 그 이유가 무엇일까.

일본의 법화경

앞서 본대로 법화경의 본래 이름은 「묘법연화경(묘호렌게교, 妙法蓮華經)」이다. 법화경은 모든 중생이 깨달음의 성품을 갖추고 있다는 불성(佛性) 사상, 모든 가르침은 중생이 깨달음으로 이끌도록 도와 주는 수단이라는 방편(方便) 사상, 그럼에도 불구하고 법화경은 소승불교와 대승불교의 모든 가르침들을 다 싣고도 남을 하나의 큰 수레라는 일승(一乘) 사상으로 정리된다. 일본 불교의 아버지로 존경받는 쇼토쿠(聖德) 태자는 직접 법화경 주석서를 쓰기도 했고, 사이초(最澄)는 중국에서 법화경의 사상을 근간으로 하는 천태종을 배워 온 뒤 일본 천태종을 개창했다. 천태종에서 법화경을 배운 니치렌(日蓮, 1222~1282)은 당시의 국가적 혼란기를 부처님이 예언한 이른바 말법(末法) 시대로 해석한 뒤, 다른 경전은 아예 부정하고 법화경만을 중심으로 한 국가적 통일을 추구하고 촉구했다.

법화경의 중흥자 니치렌

니치렌은 법화경에서 진리를 찾되, 법화경 전체를 알 필요도 없다고 보았다. 법화경이라는 제목에 대한 신뢰만 가져도, 즉 "나무묘호렌게교(南無妙法蓮華經)"라고 외우기만 해도 온갖 악이 사라지고 각종 복이 들어온다고 가르쳤다. 그 주문은

묘호지(妙法寺) 내 조사당(祖師堂). 본당에는 니치렌 상을 안치하고 있으며, 그 앞에는 이 사찰의 법주 초상화를 모시고 있다. (도쿄 스기나미구 소재)

우주적 진리의 시작이자 구체화이기도 했다. 당시 창궐했던 천재(天災)와 기아(飢餓)는 잘못된 악법을 추종한 결과이니, '창제'(唱題, '나무묘호렌게교' 라고 외우는 일)로써 이를 극복하라고 주문했다. 그것만이 성불의 길이라는 것이었다. 법화경에 대한 그의 집념은 극단적이었다. 그는 정토종, 진언종, 선종 등을 싸잡아 비판했고, 정권에도 도전적이었으면서도, 법화경의 나라로 만들기 위해서라면 정권의 힘을 빌리기도 했다. 지극히 타종교 배타적이었던 그는 당시 정권으로부터 탄압을 받아 유배를 가기도 했지만, 법화경의 구체화를 위한 그의 목숨 건 열정은 앞서 본 대로 일련종(니치렌슈, 日蓮宗)의 성립으로 이어졌고 니치렌은 추종자들에게는 숭배의 대상이 되었다.

신종교와 법화경의 영향력

일본의 대표적 신종교인 소카가카이(創價學會)는 니치렌을 대성인으로 받들면서, 그의 법화 사상을 현대적으로 계승한다. 현대 일본 연립 여당인 공명당(코메이도, 公明黨)을 만들어 정치에도 진출하고 교육 등 각종 사업도 벌이면서 세계화시

니치렌은 법화경에 대한 신뢰만으로도 온갖 복이 들어온다고 가르쳤다.

켜 나가고 있다. 릿쇼코세이카이(立正佼成會)의 개조인 니와노 니쿄(庭野日敬)가 본명을 니치렌(日蓮)과 비슷하게 니쿄(日敬)로 바꾼 데에서도 니치렌의 영향이 드러난다. 릿쇼코세이카이가 '대일본입정교성회'(大日本立正佼成會)라는 이름으로 출범(1938)했던 것도 니치렌이 일본을 법화경의 나라로 만들고자 저술한 『입정안국론(立正安國論)』이라는 책 제목을 연상시킨다. 두 종단 외에도 레이유카이(靈友會), 묘지카이(妙智會) 등 유력한 신종교가 모두 법화계로서, 법화계 신자가 일본 신종교 전체 인구의 70% 가량을 점하고 있다는 사실로부터 일본 사회에서 법화경의 영향력을 쉽게 가늠할 수 있다.

릿쇼코세이카이 본부 근처 일승보탑(一乘寶塔). '일승'은 법화경의 사상을 집약해 주는 표현이다. 도쿄 스기나미구 소재.

새로운 일본주의를 이끌다

일본의 전 역사는 천황이었든 쇼군(將軍)이었든, 지도자의 권위에 민중이 따라가면서 이루어져 왔으며, 만세일계(萬世一系)라는 말에서 드러나듯 1,300여 년 이상 천황제가 끊어져 본 적도 없다. 거기서 국가적 권위를 찾으며 민족적 자긍심을 누려 왔다.

그러다가 근세에 들어 제2차 세계 대전에 패하고 미국의 지배를 받으며 신도 중심의 국가주의도 해체되어 가자, 자존심에 상처를 입게 된 빈 자리를 채워 줄 그 무엇이 필요했다. 그 즈음 니치렌의 애국주의가 그랬듯이, 일본적인 통일을 추구하는 법화계 종교는 적지 않은 일본인에게 전통적이면서도 기존 종교와는 다른 새로운 느낌을 주었다. 대중의 주체적 참여를 내세운 법화계 신종교가 개인의 선택을 중시하는 현대적 분위기와 어우러지면서 쇠퇴해 가는 전통 종교와 국가적 권위의 자리를 대신 채워 나갔던 것이다.

다시 새로운 상황을 맞아

하지만 상황은 또 달라지고 있다. 1950년대 이후 경제가 비약적으로 성장하고 정치도 안정을 찾으면서 무엇을 추구해야 할지 국민적 공동의 목표가 사라졌다. 일본 국민은 더 이상 달성할 것이 없는 듯 뚜렷한 목표 없이 그저 현실을 즐기는 경향을 보여 준다. 서구 주류 사회가 그렇듯 일본도 집단적 권위가 사라지고 개인적 영성을 추구하는 사회로 변모해 가고 있다. 국가적 공동체성 혹은 민족적 정체성을 강조하던 기존 분위기가 약해지자, 국가적 권위의 성립에 기대던 법화계 신종교의 성장도 둔화되었다. 현세적 기복적 분위기도 여전하지만, 전반적으로는 세속 이상의 것을 상상하지 않는 일본의 현실주의 안에서, 그래도 종교를 찾는 이들은 개인적 영성, 신비주의적 체험, 과학주의적 상상이 동원된 새로운 형태들에서 점차 힘을 얻어가고 있다. 더욱 더 특정 종교집단이나 조직에 속하는 것을 거부하는 탈종교적 시대, 한동안 법화경에 신세져 오던 일본 종교 분위기가 앞으로 어떻게 전개되어 갈지 조망하는 일은 일본 종교계의 미래를 예측하는 가늠자가 된다.

11. 일본의 그리스도교와 불교

일본인 교회를 찾았다가

일본 불교계의 도움으로 일 년 정도 도쿄에 머무는 사이, 기회가 되는 대로 일본인 교회의 예배에 참석했다. 굳이 신분은 밝히지 않았고, 일본인들도 추측은 했겠지만, 내 국적이나 직업을 묻지 않았다. 목사를 비롯해 30여 명 남짓한 신자들 중 일부는 만나면 가볍게 인사를 하며 나를 그저 그런 외국인으로 대해주었다.

그러던 어느 날, 그 교회 신자라고 할 수 있을 오스트레일리아 인과 예배 후에 이런저런 대화를 하게 되었다. 그가 내게 명함을 주었고, 나도 명함을 내밀면서 새삼 내 소개를 하게 되었다. 나는 그리스도교 인이지만 불교를 중심으로 이런저런 종교 문화를 공부하러 일본에 왔다는 말을 덧붙였다. 그러자 그는 "구원은 예수님께만 있는데 불교 공부는 왜 하느냐."는 취지의 답을 했다. 나는 "종교들에는 공통성이나 보편성도 있는데 그것을 잘 보면 구원의 개념도 좀 넓어진다."는 식으로 되받았다.

그 뒤 사정상 몇 주 쉬고 다시 그 교회를 찾았다. 그런데 이상하게도 내게 먼저 인사를 하는 사람이 없었다. 다음 주도, 또 사정상 몇 주 건너 뛰고 나간 그 다음 주도 아무도 내게 말을 걸어오지 않았다. 내가 먼저 눈인사라도 할라치면 왠지 어색해 하고 불편해 하는 눈치였다. 그러다 보니 결국 나도 어색해지면서 교회 출석이 흐지부지되고 말았다.

일본 교회의 보수성

그들의 태도는 왜 변하게 되었을까? 내가 일본 종교를 공부하러 온 무슨 박사라는 사실을 전해 듣고 나니, 자신들이 연구의 대상이 될까 어색해서 그랬을지도 모른다. 물론 그것도 이유가 될 것이다. 하지만 핵심은 아니었다. 당시 나도 느꼈던 것이지만, 후에 다른 교회에도 참석해 보고 여타의 일본인이나 재일 한국인 목사 등과 여러 차례 대화하면서, 내 느낌이 잘못 되지 않았다는 사실을 새삼 확인할 수 있었다. 그것은 일본 교회의 보수성 때문이었다. 한국 개신교의 배타성에 혀를 내두르는 사람들이 많지만, 일본 교회도 정도의 차이는 있을지언정 근본적으로 다르지 않았다. 차이가 있다면 남에 대한 배타적, 억압적 자세로까지는 이어지지 않는다는 것이었다. 배타성은 어찌 되었든 그렇게 배타할 수 있을 만한 세력이 형성되어 있을 때에나 가능한 것인데, 일본 그리스도교는 예나 이제나 그럴 만한 세력을 이루어 본 적이 없다.

불교를 공부하러 일본에 왔다면서 교회 예배에도 참석하는 나의 내면을 그들은 이해하지 못했던 것 같다. '튀면' '왕따' 당하기 십상인 일본 사회의 면모를 느끼게 되는 기회였다. 나는 일본 교회의 현실을 경험하면서, 일본 그리스도교도는 근본주의적 보수성을 자신의 정체성으로 하는 사람들의 모임, 일종의 동아리 비슷한 곳이라는 생각을 하곤 했다. 그리고 다소 강한 듯한 이 보수성은 일본에서 그리스도교가 적어도 양적으로는 성장할 수 없는 이유이기도 했다.

하느님을 대일여래로

물론 일본 교회가 처음부터 그랬던 것은 아니고 현재 모든 교회가 다 그런 것도 아니다. 일본에 들어왔던 초기 선교사들이 불교나 신도를 악마의 교리 내지 악마를 숭배하는 종교로 간주하기도 했지만, 일본에 수용되고 나서는 다른 종교 전통들과

에도 시대를 연 도쿠가와 이에야스(德川家康)을 모시는 신사 도조구(東照宮, 日光市 소재) 경내. 도쿠가와는 불교를 이용해 당시 유입되던 그리스도교를 철저하게 막았다. 신사의 규모도 큰데다가 전체가 금색으로 도배되어 화려하기 이를 데 없다.

조화를 넘어 혼합의 현상을 보여 주기도 했다. 불교와 신도 등 타종교의 언어와 사고방식을 의식적으로 수용하거나 혼합적인 자세를 취하던 초기 그리스도교도를 '기리시단(切支丹)'이라고 한다. 1549년 일본 가고시마에 첫발을 디딘 가톨릭 선교사 프란치스코 사비에르도 당시의 주도적 종교였던 불교도와 교리적인 토론을 하며, 하느님(라틴어로 데우스)을 불교 진언종의 '대일여래(大日如來)'로 번역해 표현하기도 했다. 게다가 1579년 일본에 순찰사로 온 사비에르 발

오사카부(大阪府) 소재 오사카성. 1583년 토요토미 히데요시의 명으로 축조가 시작되었으나 여러 전쟁 중에 소실과 복구를 거듭하다가 1983년에서야 최근의 모습으로 태어났다.

리냐뇨가 일본의 문화와 풍습을 경험하고는 그에 순응하는 포교 정책을 펼치면서, 불교적 언어로 그리스도교를 해석하는 일들이 자연스럽게 느껴지기도 했다.

기존 종교 문화 속으로 숨다

그러다가 1587년 도요토미 히데요시(豊臣秀吉)가 '신부 추방령(伴天連追放令)'을 선포하고, 곧 이어 에도시대(1603~1876)를 연 도쿠가와 이에야스(徳川家康)가 1641년 극단적인 쇄국정책을 펴면서, 선교사와 일본인 사이의 연결이 끊어지게 되었다. 그러자 그리스도교 신자는 자신의 종교적 색깔을 드러내지 않기 위해서라도 기존 종교 문화 전통 속으로 숨을 수밖에 없었다. 불교나 신도 같은 종교 언어로 그리스도교 신앙을 표현하던 이들을 특히 '잠복 그리스도교도', 일본어로 '가쿠레 기리시단(潛伏切支丹)'이라고 부른다.

이들은 한편에서 보면 그리스도교의 일본화 내지 토착화와 관련하여 의미 있는 일로 평가되기도 한다. 하지만 역설적이게도 다소 강하게 타종교의 언어로 채색되었던 초기 일본 그리스도교는 도리어 그 독특성이 희석되면서 굳이 일본에 소개되어야 할 필요성도 그만큼 희석되었던 것으로 보인다. 석가모니 붓다가 지나치게 신격화되면서 인도의 여러 신들 가운데 하나처럼 변모한 뒤 인도에서 불교가 거의 사라지게 되었던 상황과 비슷하다고 할까.

어찌 되었든 그리스도교 이상 가는 불교를 이미 경험하고 있던 일본인에게, 불교적 언어로 채색될 수밖에 없었던 그리스도교는 그다지 필요하거나 신선한 것이 아니었다. 이것도 일본에 그리스도교가 소수자로 머물게 된 이유 중 하나였다. 여기서, 일반적인 경우라면, 새로운 종교는 기존 문화와 적절히 조화하는 가운데 자신의 고유성도 유지해 갈 때 토착화되고 적어도 양적 성장을 도모할 수 있다는 사실을 알게 된다.

불교와 대화하는 그리스도교도

그런 맥락을 염두에 두고 일본적

사람이 많이 모이는 신년 연휴 기간 대형 신사 주변에서 "세상의 종말은 갑자기 온다."며 선교하는 한 그리스도인과 그저 무관심하게 지나치는 대부분의 사람들. 특히 대도시에서 종종 볼 수 있는 풍경이다.

뿌리와 만나야 한다고 주장하고 활동하는 자유주의 그리스도교인도 있고, 사회 문제에 관심이 많은 참여주의자들도 있다. 특히 오늘날 불교와의 대화를 주도하는 이들 상당수가 일본 신학자들이다. 다키자와 카츠미(瀧擇克己), 야기 세이이치(八木誠一), 가도와키 가키치(門脇佳吉) 등 가톨릭과 개신교의 여러 신학자들이, 니시다 기타로(西田幾多郎)를 위시해 공(空) 사상을 서양철학화한 교토학파에 영향을 받으면서 불교와의 대화를 추구했다. 그들은 주로 대승불교 철학에서 학문적 에너지를 얻으면서 종교적 보편성 내지 일본적 정체성을 확인하고자 했다. 종교 간 대화사의 한 축에 불교적 에너지가 흘러들어 가고 있는 것이다.

그리스도교를 대신한 불교

물론 일본 그리스도교계 전체를 놓고 보면 이렇게 대화를 추구하는 이들은 소수이다. 게다가 일본 그리스도교 자체가 일본에서 소수자이다. 그런 점에서 일본 그리스도교는 일본을 보여 주는 창문 가운데서도 지극히 작은 창문이다. 불교나 신도 등에 비하면, 그리스도교를 통해 일본을 보는 것은 큰 의미가 없거나, 그렇게 보여진 일본이 일본의 중심부는 되지 못한다는 것을 의미한다.

그렇게 된 표면적인 이유는, 앞에서도 보았지만, 에도 시대 이래 그리스도교에 가해진 국가적 억압 정책 탓이 제일 크다고 할 수 있다. 에도 정부는 극단적인 쇄국정책 하에 그리스도교의 유입을 철저하게 막았다. 한국에서도 그리스도교(가톨릭) 도입 초기에는 조직적인 박해가 있었지만, 일본의 경우는 전략적으로 좀 더 치밀했다. 그리스도교의 억제 정책에 당시의 민중종교인 불교가 동원되었던 것이다.

8장에서도 본대로 에도 막부는 사찰을 통해 개인의 종교 여부를 확인하고 개인의 신상을 사찰에 등록하게 하는 제도, 즉 종문개 제도(宗門改制度)를 의무적으로 시행하도록 유도했다. 불교 사찰에 자신의 신상을 보고하는 데 주저하는 그리스도교인을 걸러 내는 장치로 활용했던 것이다. 이러한 정책과 함께 일반 불교도가 보시를 통해 사찰을 재정적으로 지원하고, 사찰은 그 집안의 장례나 종교의례를 담당하는 제도인 단가 제도(檀家制度)도 정책적으로 시행했다. 그 결과, 많은 이들이 '영원천국'과 같은 그리스도교적 내세관에서 영향을 받았던 한국과 달리, 일본에서는 죽음과 사후의 문제도 불교가 전담하면서 그리스도교적 독특성이 자리 잡을 가능성은 더욱 희박해진 것이다.

일본 그리스도교의 미래

6장에서 본 통계를 한 번 더 인용하면, 2002년 기준으로 일본 그리스도교도는 191만 7,070명으로 보고되고 있다. 실제로는 가톨릭과 개신교를 합해 백만 명 남짓일 것으로 추측된다. 2008년 기준으로 1억 2,700만 명 가량 되는 일본 전체 인구를 놓고 보면 1%를 밑도는 수치이다. 무엇보다 가톨릭이든 개신교든 가릴 것 없이 이들의 종교적 성향은 대체로 보수적이다. 무의식적, 때로는 문화적인 차원에서야 불교와 신도 등 일본의 전통 종교에 영향을 받고 있지만, 의식적인 차원에서까지 다른 종교와 대화하는 흐름은 크지 않아 보인다. 그저 자기들만의 동아리를 소규모로 유지해 가고 있는 듯한 모양새이다.

그렇다고 해서 일본 그리스도교를 이렇게 부정적 혹은 소극적으로만 평가하고 끝낼 수는 없는 노릇일 것이다. 일본 내 그리스도교인의 규모는 크지 않은 데 비해, 사회적 약자를 위한 인권, 평화, 전후 전쟁책임 고백 운동 등과 관련한 초교파적 연대 활동은 상대적으로 활발한 편이다. 그리스도교적 정신에 따라 설립된 사립학교도 교단 규모에 비하면 많은 편이다. 이 학교 학생들이 그리스도교에 대해 친근감을 가지고 졸업하는 경우가 많은 데다가 엔도 슈사쿠(遠藤周作, 1923~1996) 등 탁월한 그리스도도교 문학자들의 왕성한 작품 활동 등으로 인해, 그리스도교에 대한 사회적 이미지는 비교적 좋게 형성되어 있는 것으로 보인다.

그럼에도 불구하고 일본 내 그리스도교는 한국 내 그리스도교적 상황과 비교하기 힘들 만큼 소수자인 것도 분명하다. 일본 역사에서 그리스도교적 의의는 한국에 비해 별로 크지 않다는 뜻이다. 게다가 앞으로도 상황이 반전될 이유나 가능성은 여전히 없어 보인다. 급격하게 성장했다가 하향곡선을 그리기 시작한 한국 개신교의 미래, 그리고 외형적으로는 성장한 듯 보이지만 한국 문화와는 여전히 거리감을 가지고 있는 가톨릭의 미래를, 일본 그리스도교의 역사를 통해서 예단해 볼 수 있을 것 같다.

IV. 애국주의와 신종교

퍼펙트리버티(PL), 레이유카이(靈友會), 세이초노이에(生長の家), 릿쇼코세이카이(立正佼成會), 소카가카이(創價學會) 등은 20세기 초·중반에 집중적으로 발생한 신종교들이다. 이들은 적어도 100만 이상, 많게는 1,000만 가까운 신자를 가진 일본의 전형적인 신종교들이다.

12. 일본의 신종교, 그리고 소카가카이

인류 종교사는 새로운 종교가 탄생, 성장해 온 변화의 역사이다. 새롭다지만 허공에서 떨어지는 것은 아니다. 사람들의 내적 요구에 기존 종교가 부합하지 못하다가, 가려져 있었거나 잠복해 있던 기존 종교의 특정 부분이 새로운 상황에 처한 이들의 요구와 맞아떨어지고 부각되면서 신종교의 탄생으로 이어지는 것이다. 일본의 신종교도 이런 과정으로 설명해 볼 수 있다.

슈겐도와 신종교의 출현

일본에 불교가 도입된 이후 도교식 산악

슈겐도의 수행자들. 도쿠가와 이에야스가 나라의 평화를 위해 세웠다는 탑 앞에서 주문을 외우고 있다. 이 탑은 니꼬(日光) 시 린노지(輪王寺) 경내에 있다.

(山岳) 신앙, 신도적 민간신앙과 연결된 주술적 불교가 생겨났다. 주로 가미가 머문다고 믿어지는 산에서 수행하면서 악령을 타파하는 힘을 추구하는 '슈겐도(修驗道)' 이다. 신도와 불교 등이 혼합되어 있던 슈겐도는 가마쿠라 시대(1180~1333) 초기에 이르러 하나의 종교로 인식된 뒤 일본 민간 종교로 자리 잡아 오다가, 메이지 정부의 신도-불교 분리[神佛分離] 정책으로 인해 종교적 정체성을 상실하고는 신도 내지 진언종(신곤슈, 眞言宗) 같은 불교 종단에 편입되거나 작은

종파로 쪼개져 흩어지는 등 생존이 위태로운 지경에 이르기도 했다. 그 명맥은 여전히 이어지고 있지만 교단으로서의 영향력은 거의 없다고 할 수 있다. 그렇지만 일본 신종교사와 관련해 보자면, 슈겐도는 19세기 후반 일본에서 여러 신종교들이 탄생하는 데 사상적 기초로 작용하면서 다른 모습으로 태어났다고 해석할 수 있다.

일본 신종교의 선두 덴리교

그 신종교들 가운데 대표 주자는 나카야마 미키(中山みき, 1798~1887)에 의해 창시된 덴리교(天理教)이다. 1838년 강신(降神) 체험을 한 이후 스스로 세계 구제자의 길을 걷게 된 나카야마 미키는, "빈곤을 감수하지 않으면 고생하는 사람의 삶을 모른다."며, 메이지 유신 이전의 시대적 혼란기에 재산을 팔아 억압받는 빈자들을 도우면서 직접 가난의 길을 걷기도 했고, 아이를 출산한 여성을 부정하게 생각하던 당시 습속을 타파하고 출산에 중요한 가치를 부여하면서 '순산의 신'이라 불릴 만큼 여성들의 신뢰를 받았다.

하늘의 뜻[天理]대로 세계를 구제한다는 의미를 지니는 덴리교는, 종교사적으로 보면 근대 일본 신종교의 선두주자이며, 종교 유형상으로 보면 신도의 신들을 섬기기도 하는 등 신도적 분위기가 물씬

일본 텐리시(天理市) 소재 텐리교 총본부. 텐리교는 근대 일본 신종교의 효시라 할 수 있다.

풍긴다는 점에서 '교파신도'로 구분된다. 만일 메이지 시대 신도가 '국가신도' 화하지 않았다면 나카야마 미키의 강신 체험은 그저 신도적 민간신앙 차원에 머물렀을지도 모를 일이다. 이렇게 교단화한 교파신도에는 텐리교 외에 공코교(金光教), 구로즈미교(黒住教), 다이혼교(大本教) 등이 해당한다.

애국주의와 구원론 – 일본 신종교

20세기 초·중반에는 다양한 신종교들이 집중적으로 발생하는데, 퍼펙트리버티(PL), 레이유카이(靈友會), 세이초노이에(生長の家), 릿쇼코세이카이(立正佼成會), 소카가카이(創價學會) 등이 대표적이다. 이들은 적어도 100만 이상, 많게는 1,000만 가까운 신자를 가진 일본의 전형적인 신종교들이다.

이 외에 종교 법인으로 등록되어 있는 일본 신종교 수는 만여 개 이상 된다. 상당수가 한국의 대형 사찰이나 개신교회 하나 정도에도 못 미치는 규모이거나 몇십 명 수준에 머무는 정도이지만, 중요한 것은 이러한 '잡다한' 신종교가 출현하는 현상이 현 시대와 일본 사회의 성격을 대변해 준다는 것이다. 그 가운데 앞 장에서도 보았던 법화경 사상과 애국주의에 호소하면서 대중적 영향력을 확대해 온 불교계 신종교가 돋보인다.

에도 시대(1603~1867) 일본 불교는 사실상 국가의 통제를 받는 종교가 되었다. 그로 인해 일부 영향력도 커졌지만, 불교의 가르침 자체가 새로워서 그런 것은 아니었다. 에도 정부는 유교를 국가의 통치 이념으로 삼기도 했지만, 당시 유교는 엘리트 사무라이 문화 내지 삶의 자세에 주로 반영되었을 뿐 대중적이지는 못했다. 불교든 유교든 국교로서의 끈은 느슨한 편이었다. 민간신앙들도 있었지만 세련된 교리나 조직은 미약했고 현세적 기복주의 형태에 머물렀다. 보편적이고 세련된 구원론까지 전개하지는 못했던 것이다.

그런 상황 속에서 메이지 시대(1868~1912) 정책에 따라 신도가 본격적으로 국가종교화하면서, 신도는 국가주의 내지 애국주의를 고취시켰을 뿐만 아니라 그에 의해 강화되기도 했다. 그러다가 이러한 국가주의적 정서는 제2차 세계 대전의 굴욕적인 패전 이후 미국의 지배를 받으며 크게 무너졌다. 승승장구해 온 일본인의 국가주의적 자존심에 큰 상처를 입은 것이다.

이런 상황에서 필요한 것은 무엇이었을까? 그 중 하나가 일본적인 연속성을 지니면서도 새로운 힘을 가져다 줄 종교적 가르침이었다. 이때 애국주의에 호소하면서도 세련된 구원론을 갖춘 새로운 불교들이 등장하게 되었는데, 레이유카이, 소카가카이, 릿쇼코세이카이 등이 그것이다. 이들은 한결같이 대승불교의 대표적 경전인 법화경 사상을 중심으로 하면서 사람을 모으고 제도 교단으로 발전해 나갔다.

니치렌과 니치렌슈

소카가카이에서 후원하는 일본 연립 여당 공명당의 홍보 포스터. 동네 곳곳에 붙어 있다.

앞 장에서도 보았지만, 일본에서 법화경, 즉 묘법연화경은 남다른 위치를 지닌다. 일본에서 법화경의 위치가 남달라진 것은 니치렌(日蓮, 1222~1282)의 영향 때문인데, 니치렌은 법화경의 제목을 부르고 귀의하는 일, 즉 '나무묘호렌게교(南無妙

릿쇼코세이카이 발상지 안에 설치된 릿쇼코세이카이 개조(오른쪽)와 협조의 동상

法蓮華經)'를 암송하는 단순한 실천만으로도 개인과 세상의 구원은 충분하다고 가르쳤다. '나무아미타불'을 외우는 정토종의 내세지향적 염불법도 지극히 단순한 것이었지만, 니치렌의 가르침은 단순하면서도 정토종의 염불에 비해 지극히 현세지향적이었다. 니치렌은 현세적 고통으로부터의 구원과 현세의 변혁 쪽에 무게중심을 두었다. 그는 일본 전체를 법화경의 나라로 만들기 위해 목숨을 걸었다고 할 정도였으며, 9장에서 본대로 그의 열정은 후에 일련종(니치렌슈, 日蓮宗)의 성립으로 이어졌다. 니치렌슈의 애국주의, 단순한 신앙 실천, 불교 전통에 입각한 세련된 구원론은 일본인의 마음에 적

지 않은 영향을 끼쳤고 일본 내 신종교 탄생의 사상적 근원지가 되기도 했다. 이와 관련하여 단연 두드러지는 것은 '소카가카이'이다.

법화경의 현대적 계승, 소카가카이

소카가카이(創價學會)는 소학교 교사였던 마키구치 쯔네사부로(牧口常三郎, 1871~1944)에 의해 창립되었다. 니치렌을 본존불로 섬기는 또다른 종파인 일련정종(니치렌쇼슈, 日蓮正宗) 신자였던 마키구치는 니치렌의 법화 사상이 인격의 새로운 가치를 창조[創價]할 수 있다는 사실을 확신하고, 개인과 사회의 혁신을 위한 교육 개혁 운동을 도모했다. 제자였던 도다 조세이(戸田城聖, 1900~1958)와 함께 '소카교유쿠가카이(創價教育學會)'를 창립(1930)한 뒤, 도시 빈민 또는 대도시로 이주한 젊은이들에게 특별한 지지를 받으면서, 니치렌의 불법을 구체화시키는 종교단체로 발전시켜 나갔다. 나아가 니치렌을 대성인으로 받들면서 법화경을 현대적으로 계승하려는 '종교법인 소카가카이'를 출범(1952)시켰다.

소카가카이는 제2차 세계 대전 패전 후 미국의 요구에 따라 정치와 종교의 분리, 즉 정교분리(政教分離)를 추진했던 일본의 정부 정책과는 반대로, '공명정치연맹' 을 결성(1961)하면서 도리어 정교일치(政教一致)를 추구했다. 이것은 공명당(公明黨)의 창당(1964)으로 이어졌고, 공명당은 2009년 현재까지도 자민당(自民堂)과 연합해 공동연립여당을 구성하면서 일본 보수정치의 한 축을 담당하고 있다. 그리고 소카대학(創價大學) 설립 등 각종 사업도 도모하는 가운데, '소카가카이 인터내셔널(SGI)' 이라는 이름으로 전 세계 거의 모든 나라에 진출해 있다. 그 중심에는 늘 니치렌의 법화경 해석이 기본에 놓여 있는데, 한국인에게는 일본어 발음 때문에 세칭 '남묘호렌게교'(앞에서 본대로 "묘법연화경에 귀의합니다."를 의미하는 염불문의 일본식 발음이다.)라는 이름으로 잘못 회자되고 있는 'SGI 한국불교회' 는 현재 한국에서 가장 많은 신자들 둔 일본 불교단체이다. 소카가카이는 일본 신종교 가운데 세계 선교에 가장 적극적이며 그만큼 성공적이기도 했다.

개인적 영성 추구의 시대에 신종교가 갈 길

하지만 큰 틀에서 상황은 변하고 있다. 그동안 일본 신종교가 애국주의에 기대어 온 경향이 있었지만, 이제는 집단적 권위가 사라지고 개인적 영성을 추구하는 사회로 변모해 가고 있다. 그러면서 국가적 자존심의 성립에 기대기도 하던 법화계 신종교의 성장도 둔화되었다. 오늘날의 세계적 흐름이 그렇듯이, 일본인 가운데 종교를 찾는 이들도 개인적 영성, 신비주의적 체험, 과학주의적 상상이 동원된 새로운 형태들에서 힘을 얻어 가는 경향을 보여 준다. 특정 종교 집단에 속하는 것을 거부하는 탈종교적 시대, 한동안 니치렌식의 법화경에 신세져 오던 일본 신종교 분위기가 앞으로 어떻게 전개되어 갈지 조망하는 일은 일본 사회는 물론, 한국 종교계의 현재와 미래를 진단하기 위해서라도 의미 있는 작업이 아닐 수 없다.

13. 종교 간 대화를 선도하는 릿쇼코세이카이

"비교적 괜찮아요"

릿쇼코세이카이(立正佼成會)는 소카가카이 다음가는 신불교 종단이다. 소카가카이에 비해 규모는 작지만, 소카가카이가 일본 사회에서도 부정적으로 평가되는 경향이 있는 데 비해, 릿쇼코세이카이는 비교적 건실한 이미지를 지닌다. 실제로 일본인에게 릿쇼코세이카이에 대해 아느냐, 이미지는 어떠냐며 넌지시 물어보면, 대부분 잘 알지는 못하지만 이미지가 좋다거나 적어도 나쁘지 않다는 식으로 답을 한다. 교단 종교에 대해 별 관심이 없거나, 오무신리쿄 사린가스 사건 – 1995년 오무신리쿄(オウム眞理教)에서 세상의 종말을 알린다며 도쿄 지하철에 맹독성 사린가스를 살포해 12명이 죽은 사건 –

이후 신종교 단체에 대해서는 다소 부정적인 분위기가 있는 일본인에게서 그 정도의 답이 나온다는 것은, 릿쇼코세이카이가 그동안 건실히 성장해 왔고 또 활동하고 있음을 보여 준다. 자체 발표에 따르면 신자 규모는 175만 세대 정도라고 한다.

석가모니불을 모시고 법화경을 받들고

릿쇼코세이카이는 니와

릿쇼코세이카이 대성당에서 드리는 매일 법회 장면. 초역사적 석가모니불을 본존불로 모신다.

노 닛쿄(庭野日敬, 1906~1999)를 개조(開祖)로, 나가누마 묘코(長沼妙佼, 1889~1956)를 협조(脇祖)로 하여 1938년 창립된 신불교 단체이다. 레이유카이와 앞에서 본 소카가카이가 그렇듯이, 릿쇼코세이카이의 개조인 니와노 닛쿄도 니치렌의 법화경 사상에서 그 영향을 듬뿍 받았다. 개조 니와노 닛쿄(日敬)은 물론, 2대 회장인 니치코(日鑛, 1938~)의 이름에 니치렌(日蓮)의 '日' 자가 들어있는 데다가, 창립 당시의 이름인 '大日本立正交成會' 이 니치렌의 저술 『입정안국론(立正安國論)』을 연상시킨다는 점에서도 그렇다.

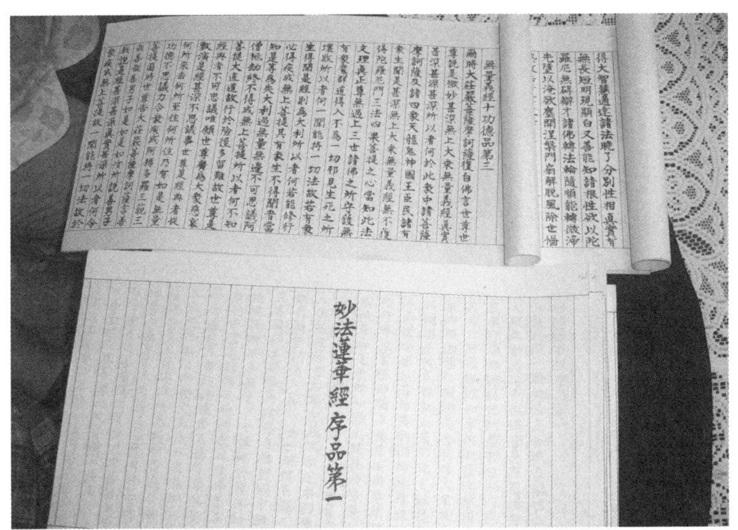

릿쇼코세이카이 시즈오카 교회의 한 신자가 법화경 전체를 하나하나 붓글씨로 써내려 갔다며 친히 쓴 필사본을 내게 보여주었다. 쓰다가 한 글자라도 틀리면 다 버리고 새로 썼다 한다. 집안의 가보로 삼게 될 것이라는 이 구도적 작품에서 종교적 진지함이 강하게 느껴졌다.

릿쇼코세이카이는 「법화삼부경」– 묘법연화경(妙法蓮華經) 외에 무량의경(無量義經)과 불설관보현보살행법경(佛說觀普賢菩薩行法經)을 묶어 법화삼부경이라 한다. –을 기본 경전으로 하고, 석가모니불을 본존불로 모시는 대승불교 단체이다. 그렇더라도 이때의 석가모니불은 역사적인 존재로서의 석가모니불이라기보다는, 법화경의 주인공, 즉 역사 안에 태어났지만 실제는 본래부터 영원한 부처였다고 간주되는 초월적이고 보편적인 차원의 석가모니불[久遠實成大恩教主釋迦牟尼佛]이다. 이렇게 석가모니불을 본존불로 모시고 보살행을 강조한다는 점에서 릿쇼코세이카이는 전형적인 대승불교적 정체성을 유지한다고 볼 수 있다.

조상님 잘 모시고 부모에게 효도하고

릿쇼코세이카이는 재가불교(在家佛教)를 표방한다. 지도자는 있지만 출가자는 없다. 실천 윤리도 재가자 중심적이다. 아침저녁으로 경전을 읽고 삶에 적용해 보는 반성적 독서와 일상사에 대한 감사의 생활을 기본으로 한다. 구체적으로 선조공양(先祖供養), 친효행(親孝行), 보살행(菩薩行) 세 가지를 중시한다. 돌아가신 조상을 모시고 살아 계신 부모에게 효를 행하는 것은 큰 틀에서 보면 동아시아 생활 문화의 기본인 유교적 윤리와 다르지 않지만, 좁혀서 얘기하면 이것은 개조 니와노와 협조 나가누마가 한때 몸담았던 신불교 레이유카이(靈友會)의 기본 교리와도 통한다. 레이유카이가 법화경 신앙 위에서 조상 공경을 기본 교리로 하고 있는 단체라는 점에서 그렇다.

스승도 존경하고

릿쇼코세이카이의 독특성 가운데 하나는 개조에 대한 존경심이다. 신자들은 설립자인 개조와 협조를 존경한다. 일부 신자들에게는 석존 신앙 못지않게 개조 신앙이라 할 만한 것이 뒤섞여 있다. 야오요로즈노가미(八百萬神)이라는 말이 있듯이, 큰 의미를 두지 않으면서도 다양한 신들의 존재를 당연시하는 일본적 맥락에서 특정인을 신성시하는 정서가 생겨나는 것은 어찌 보면 자연스럽다고 할 수 있다.

물론 종교사적으로 보아도 이것은 그리 어색한 일이 아니다. 가령 예수가 오로지 하느님 나라를 선포했고 하느님의 사랑을 실천했지만 제자들은 하느님과 함께 예수를 높이게 된 현상이나, 석가모니가 나(석존)에게 의지하지 말고 법과 자기 자신에게 의지하라고 가르쳤지만, 후세는 붓다를 석존으로, 위대한 영웅[大雄]으로, 다양한 초월적 신앙의 대상으로 높이게 된 것과도 비슷하다. 이것은 스승을 존경함으로써만 그 스승의 가르침도 존경되는 대중적 이치를 잘 보여 준다.

이와 함께 릿쇼코세이카이는 불교단체이지만, 공동체에 승가나 사찰 혹은 절보다는 교회(教會)라는 명칭을 붙인다. 도쿄 스기나미구에 있는 교회는 '대성당(大聖堂)' 이라 부른다. 그렇다고 해서 그리스도교를 연상할 필요는 없다. 그리스도교가 별로 없는 일본에서 불교 공동체를 교회 내지 성당이라 부른다 해서 사람들이 혼동할 이유는 별로 없기 때문이다.

종교 간 대화의 문을 열다

개조인 니와노 닛쿄는 가톨릭의 제2차 바티칸공의회에 초청을 받아 참여했다가 타종교 문화에 포용적인 입장을 표명한 공의회의 정신에 크게 감명을 받았다. 종교의 통일성이나 단일성에 관심이 많던 그는, 그를 위해 종교의 통일 이전에 종교 간 대화가 필요하다는 것을 절감했다. 그가 주도하여 창립된 것이 세계종교인평화회의(WCRP, World Conference on Religion and Peace)이다(1970). 이의 아시아 조직이 아시아종교인평화회의(ACRP)이고, 그 영향력 하에 한국에서는 일곱 개 종단(한국천주교주교회의, 한국교회협의회, 대한불교조계종, 원불교, 성균관, 천도교, 민족종교협의회)을 회원으

릿쇼코세이카이 발상지. 초기 본부가 있었고 신자들이 수행하던 곳이다. 여전히 신자들이 찾아와 법회를 하고 수행하는 장소로 사용한다.

로 두고 있는 한국종교인평화회의(KCRP)가 창립되었다(1986). 현재로서는 이것이 가장 세계적인 종교연합 조직 내지 유관기관들이니, 세계의 종교 간 대화에서 릿쇼코세이카이의 공로는 적지 않다. 한국 내에서 종교 간 대화를 도모하는 이라면 누구든 세계적으로 종교 간 대화를 선도 내지 후원하고 있는 릿쇼코세이카이와 관계가 전혀 없다고 할 수 없는 것이다.

무엇보다 가톨릭 교회 안에서 종교 간 대화의 불을 지폈던 제2차 바티칸공의회의 정신이 현재의 가톨릭보다도 일본의 재가불교단체를 통해 더 구체화되고 있다는 사실은 일종의 아이러니가 아닐 수 없다. 릿쇼코세이카이의 현 회장 니와노 니치꼬(庭野日鑛)의 다음과 같은 말을 인용해 본다.

"종교인은 평화와 공생의 구축을 향해 어떻게든 더 큰 역할을 완수해야 합니다. 세계의 여러 종교들이 공생을 위해 함께 행동을 벌이려면 먼저 만남과 대화의 장이 필요합니다. 그것은 종교적 차이를 존중하면서 여러 종교들이 내는 소리에 대해 겸허하게 귀를 기울이는 관용성과 더불어, 생명을 살리는 모든 것은 서로 관계 맺고 만나면서 하나의 거대한 생명으로 살아가게 된다는 공통의 지혜 위에서 구축되어야만 합니다."*

* 梅原猛 · 庭野日鑛, 『仏教を世界へ』, 東京:佼成出版社, 2007, p.119~120.

14. 기성종교, 신종교, 그 이후

기성종교의 존재 이유

지금까지 살펴본 신종교는 이른바 기성종교에 대응하는 개념이다. 불교, 그리스도교, 이슬람 등으로 대표된다고 할 수 있을 기성종교는 한자 그대로 '이미(旣) 이루어진(成)' 종교라는 뜻이다. '이미 이루어졌다'는 것은 과거의 사실이되, '앞으로 어떻게 될지'는 여전히 과제로 남아 있다는 뜻이다. 무엇보다 이들이 '종교'가 될 수 있었던 것은 당대 사람들의 내적 요구에 무언가 맞아떨어지는 선포를 하고, 상처를 위로하며, 기대치를 만족시켜 주는 부분이 있었기 때문이다. 그러면서 거대 교단으로 조직화해 나갈 수 있었던 것이다.

또한 이들에게는 공통점이 있는데, 발생 당시의 정황으로 보면, 신분·성·지역·지식 간에 차별이 존재하고 일부 엘리트가 전체 사회를 주도하던 시대에, '위로부터' 생겨났다는 점이다. 내용상으로 보면, 인간 개인의 본성 내지 한계를 통찰하게 하고, 무언가 현실 너머 내지는 근원에 있는 이상세계를 선포하며, 그 이상세계에 동의하는 이들을 중심으로 공동체를 건설하는 데 힘쓴다는 것이다. 또 금욕적 삶의 가치를 인정함으로써, '이 세상' 보다는 '저 세상'을 더 의미 있게 보도록 하는 경향도 있다.

기성종교에서 신종교로

그런데 산업혁명 후 근대화를 거치면서 세계가 급속히 달라졌다. 기성종교가 태동하고 발전하던 시대와는 달리, 특정 신분의 소유자나 지식인이 권위를 독점하던 시대로부터 개인의 자유가 신장되고 종교마저 저마다 선택할 수 있는 체제로 바뀌었다. 이 상황을 잘 반영해 주는 것이 이른바 '신종교'들의 탄생이다.

소카가카이, 릿쇼코세이카이 등에 대해 이미 살펴보았지만, 이들을 포함한 대다수 일본 신종교들도 기성종교에서처럼 일종의 이상적인 세계를 긍정하거나 목표로 한다. 그렇지만 그것을 현실 '너머'

가 아니라, 현실의 '연장' 차원에서 해석하고 추구하는 경향이 있다. 물질적 풍요와 행복을 맛본 현대인들에게 현실은 '극복' 의 대상이기만 한 것이 아니라, 좀 더 수준 높게 '추구' 해야 할 대상이기도 한 것이다. 무언가 '위로부터의' 수혜를 당연시하는 수직 사회에서 발생한 기성종교에 비해, 사회적 평등 구조 속에서 생긴 신종교는 '아래로부터의' 추구, 자력적인 성향을 더 보여 준다. 사후 구원을 중시하는 기성종교와는 달리, 신종교는 현세에서의 구원을 더 중시하는 모습도 보여 준다.

물론 신종교도 공동체를 강조한다. 하지만 그 외적 경계는 상대적으로 느슨하며, 출가자 내지 성직자를 우대하는 기성종교에 비해 포교 능력이 있는 재가자를 우대한다. 이것은 일본 신불교 상당수가 '재가불교(在家佛教)' 라는 타이틀을 걸고 있는 데에서도 드러난다. 물론 이것은 정도의 차이이다. 기성종교와 신종교의 내용과 성격을 명확히 분리시켜 규정하기는 힘들다. 그럼에도 불구하고 신종교의 탄생과 성장은 시대가 달라지면 무언가 새로운 세계관을 요구하게 되는 민중의 정서를 잘 보여 준다.

기성화 하는 순간 새로움은 사라진다

그런데 문제는 시대가 끝

없이 그리고 급격히 달라지고 있다는 사실이다. 20세기 종반 이후 '포스트모던' 이라는 말이 유행하기도 했고 여전히 인구에 회자된다. 그런 말과 담론이 유행한다는 것은 지난 몇십 년 사이 세계가 상당히 변했다는 사실의 증거이기도 하다. 그 변화된 모습은 일본 종교의 변화에서도 찾을 수 있는데, 제일 명백한 것은 기성종교의 둔화 내지 쇠퇴이다. 더 나아가 일본의 경제적 성공 이후 이른바 신종교들마저 성장세가 멈췄거나 둔화되고 있다는 사실이다. 그 대신 개발도상국 중심의 국제적 포교 쪽으로 눈을 돌리고 있다. 일본 국

도쿄 시부야 소재 '행복의 과학' 도쿄쇼신칸(東京正心館). 창시자이자 사실상 신앙의 대상인 오가와 류호(大川隆法)의 영문 이니셜(OR)을 교단 로고로 삼고 있다.

내에서는 종단의 양적 성장에 한계를 느끼기 때문이다. 왜 일본 내 기존 신종교들의 둔화세가 드러나는 것일까?

사람들의 기대치와 관심사는 달라지는데, 신종교 역시 '기성종교화' 하는 데 힘을 쏟다가 '새로움' 을 잃어버리기 때문이다. 형식과 내용이 '이미 이루어진' [旣成] 순간, 신종교의 '신(新)' 이라는 글자는 어울리지 않는 것이 된다. 생긴 지 얼마 되지 않고 규모는 작아도 '기성화' 하는 순간, 늘 변해가는 사회는 그러한 정체를 용납하지 않을 공산이 커진다. 일본에서도 그 틈을 비집고 또 새로운 종교 현상들이 생겨나고 있는데, 도쿄대 교수인 시마조노 스스무(島薗進)의 표현을 따라 일단은 '신신종교(新新宗教)' 라고 명명해 보겠다.*

신종교를 잇는 신신종교의 출현

신신종교 역시 변화된 시대의 산물이다. 종교보다는 과학이 주도하고, 초월보다는 내재가, 내세보다는 현세가, 논리보다는 감성이, 집단보다는 개성이, 획일성보다는 다양성이 더 중시되는 근대 이후 오늘에 어울리게 생겨나고 있는 현상이다. 과학, 현실, 감성, 개성, 다양성을 중시하는 분위기에 따라 종교도 변할 수밖에 없지만, 기성종교는 근본적으로 변하기 힘들다. 그리고 신종교마저도 기성종교화 하려 애쓰는 순간, 사회는 다

행복의 과학 도쿄쇼신칸 내 코끼리 그림. 붓다와 동양 세계를 상징하며, 창시자인 오가와 류호가 인도에서는 붓다로 현현했던 근원적 존재라고 믿는다.

시 새로운 형태의 종교를 요구하게 되는 것이다.

그 새로운 모습에 대해 미국에서는 '뉴에이지(New Age)' 라는 이름으로 연구하기도 하고, 시마조노 스스무는 다른 한편에서 '신영성운동(新靈性運動)' 이라고 명명하기도 한다.** 이 신신종교에서는 종교 시설 내 성직자의 일방적 선포보다는 누구나 이용하는 매스미디어를 메시지의 수단으로 이용하곤 한다. 공동체가 있더라도 개인의 자유가 보장되는 느슨한 체제일 때가 많다. 때로는 창시자나 교리도 모호하기에 기존 상식으로는 종교라고 규정하기 힘든 경우도 있다. 그럼에도 불구하고 종교가 아니라고 치부하기에는 사람들의 종교심을 계승하는 측면이 적지 않다. 그리스도교와 같은 기성종교가 주도하는 곳이라면 이런 움직임은 쉽사리 이단시될 것이다. 하지만 그리스도교가 거의 없는 일본에서는 20세기 후반 이래 이러한 신신종교가 기성종교는 물론, 신종교의 비어 가는 자리를 메우는 현상으로 나타나고 있다.

내적 욕망을 합리적으로 부추긴다

최근 일본에서 '행복의 과학(고후쿠노가가쿠, 幸福の科學)'이라는 불교계 신종교의 성장세가 돋보인다다. 교단 관계자에 의하면, 신자는 일본 인구의 1% 정도라고 한다. –실제 신자수는 그보다 훨씬 적을 것이다.– '석가대여래'를 섬긴다는 점에서 불교계 신종교로 구분되지만, 그 석가대여래는 과거에 붓다와 헤르메스로 나타났던 기원적, 초역사적 존재이며, 사실상 젊은 교조 오가와 류호(大川隆法, 1956~)와 동일시되고 있다. 이렇게 특정인을 숭배하는 경향을 강하게 보여준다는 점에서 이 교단의 세계관은 근대적 '합리성'과는 거리가 멀어 보인다.

하지만 교단 명칭에서 드러나듯이, '행복'해지고 싶어 하는 인간의 열망을 종교 혼합적, 신화적, 과학적 세계관과 적절히 섞어 새로운 이미지를 풍긴다. 집회 장소도 시골에서는 자연을 배경으로 신비적 분위기가 나도록, 도시에서는 신화적 이미지가 느껴지도록 건축하거나 장식을 한다. 그러면서 상당히 비의적인 성향, 폐쇄적인 모습도 보여 준다. 그런 점에서 이 교단을 '신신종교'의 한 예로 규정하기는 힘들다. 그렇지만 인간의 행복감을 재해석하면서 극대화시키고 있다는 것은 기존 종교가 보여 주지 못하던 점이다.

중요한 것은, 적어도 일본의 경우에는 기성종교가 밀려나고 있으며, 심지어는 신종교의 시대도 지나 '신신종교'의 시대로 접어들었다는 것이다. 일본의 신불교 가운데서도 진언종(신곤슈, 眞言宗)에서 분리되어 나온 '신요엔(眞如苑)' 처럼 비교적 온건하고 집단적 행동을 그다지 요구하지 않는 교단이 힘을 얻고 있다. 신요엔은 창시자인 이토 신조(伊藤眞乘, 1906~1989)와 그의 부인 이토 토모지(伊藤友司, 1912~1967)를 인간계와 신계를 결합시킨 영적 존재로 보면서, 이러한 영능(靈能) 자격자와의 영적 교환을 통해 심신의 고통과 번민을 해소하고, 타고난 영적 능력을 개발하고 향상시켜 온 세상에 행복과 기쁨을 확장시켜야 한다고 가르친다.

'행복의 과학' 처럼 '신요엔' 도 현대의 합리적 혹은 지성적 흐름에 비해서는 다소 신화적 세계관을 띠고서 교조를 신격화시키는 경향이 있지만, 전반적으로 개인의 타고난 능력을 중시하고 인간 내면의 긍정적 욕망을 다른 차원에서 발휘하게 하는 역할을 하고 있다. 2002년도 일본 『종교연감』을 기준하여 80만 6,753명의 신자를 확보하고 있는 신요엔은, 대규모라고 할 수는 없지만 내적 능력을 개발하는 식의 개인적이고 온건한 수행의 종교들이 요란하지 않게 힘을 얻어가고 있음을 보여 주는 지표가 되고 있다.

* 시마조노 스스무, 박규태 옮김, 『현대일본 종교문화의 이해』, 청년사, 1997, 269쪽.
** 시마조노 스스무, 앞의 책, 275~281쪽.

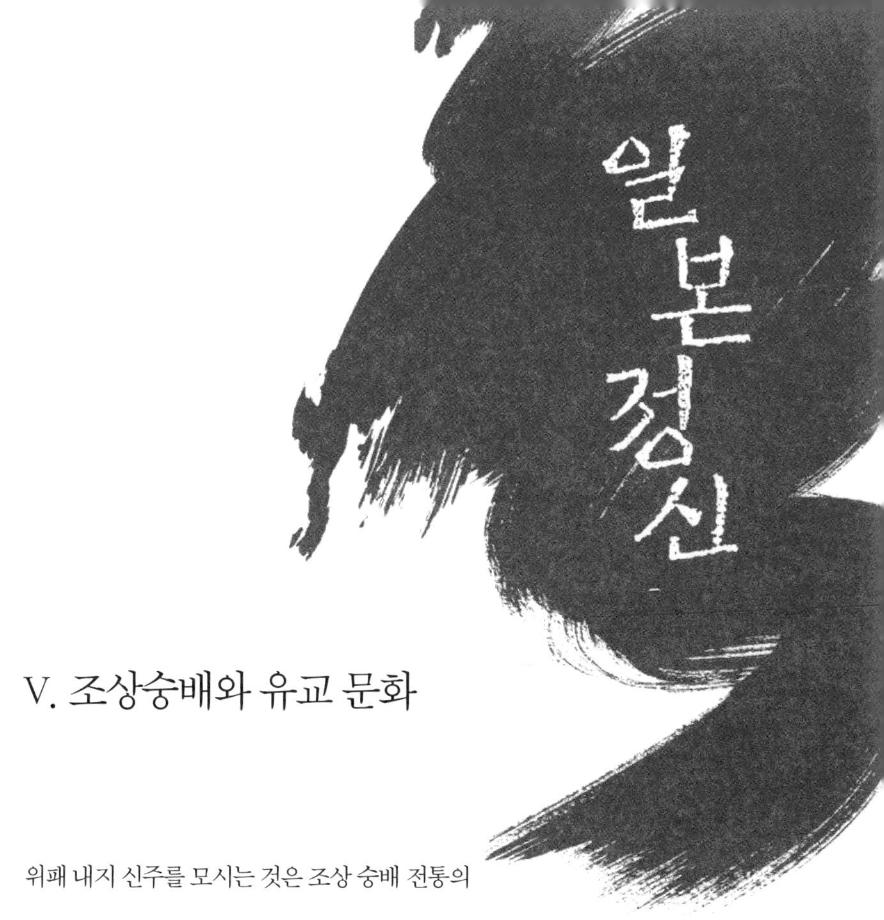

V. 조상숭배와 유교 문화

위패 내지 신주를 모시는 것은 조상 숭배 전통의 전형적인 모습이다. 일본인은 사람은 죽고 나면 몸은 썩어 사라지지만 혼은 어딘가 남아 있으니, 그 혼(조상신)과 교감하며 사는 것이 후손의 도리라고 믿어 왔다. 이러한 문화 내지 사고 방식이 일본인의 보이지 않는 종교성의 근간을 이루고 있는 것이다.

15. 불교적 형식, 유교적 내용

위패를 중시하는 사람들

이번 장에서는 일본을 느끼게 해 줄 만한 전형적이고 전통적인 종교적 주제로 되돌아가 보자. 언젠가 일본의 한 화재보험회사가 일본인들을 대상으로 "만일 집에 불이 나면 무엇부터 꺼내 오겠느냐."는 설문조사를 한 적이 있다. 1위는 상상할 수 있듯이 귀중품(부동산 증서, 현금카드 등)이었지만, 2위는 뜻밖에 위패(位牌)였다고 한다. 조상의 이름 등을 담아 적어 놓은 위패는 죽은 조상이 혼의 형태로 후손과 만나는 매개체이다. 위패를 모신 사람들은 제사 때 조상의 혼이 위패로 내려와 자신들의 제물과 기도를 흠향(歆饗)하고, 또 자신들로부터 위로도 받는다고 믿는다. 조상 숭배의 전형적인 형태인 것이다.

일본 불교 단체인 릿쇼코세이카이의 한 신자 집에 설치된 부츠단(佛壇). 다른 집안의 부츠단에 비해 비교적 단순한 형태를 하고 있다.

일본인은 위패를 어디에 모시는가. 보통은 부츠단(佛壇) 안에 모신다. 또는 가미다나(神棚)에도 모신다. 일본인의 절반 이상이 집안에 부츠단을 설치하고 있고, 45% 가량이 가미다나를 두고 있으며, 부츠단과 가미다나를 모두 설치하는 경우도 제법 된다. 가마다나에는 신사에서 발행한 오후다(일종의 부적)와 조상의 신주를 함께 모신다. 이렇게 위패 내지 신주를 모시는 것은 조상 숭배 전통의 전형적인 모습이다. 일본인은 사람이 죽고 나면 몸은 썩어 사라지지만 혼은 어딘가 남아 있으니, 그 혼(조상신)과 교감하며 사는 것이 후손의 도리라고 믿어 왔다. 이러한 문화 내지 사고 방식이 일본인의 보이

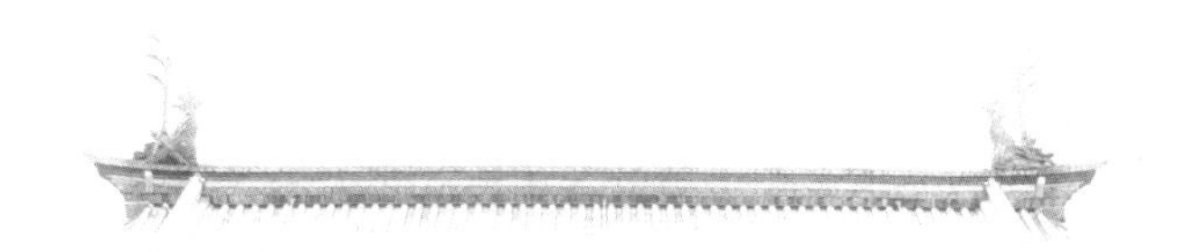

유시마 성당(湯島聖堂) 내 대성전. 유시마 성당은 도쿠가와 막부의 5대 쇼군인 도쿠가와 쓰나요시(德川綱吉, 1646~1709)가 1690년에 세운 주자학 관련 학문소이다.(도쿄 소재)

지 않는 종교성의 근간을 이루고 있는 것이다.

조상신 신앙과 세련된 윤리의 결합

좀 더 자세히 들여다 보면, 부츠단 안에 위패를 모시는 현상에는 더 깊은 의미가 들어 있다. 사실 조상 숭배 문화의 기원은 일종의 샤머니즘에 있다고 할 수 있는데, 중국을 비롯한 동북아시아에서 조상신 신앙을 가장 오랫동안 유지해 온 전통은 사실상 샤머니즘(한국의 경우 이른바 무속신앙)이다. 그런데 그 전통을 계승하면서도 인간의 도덕과 사회 윤리, 개인의 철학, 나아가 국가적 통치 이념으로까지 발전되어 온 세계관이 있으니 바로 공자(孔子)에게서 비롯된 것으로 간주되는 유교(儒教)이다. 죽은 이의 혼을 불러들여 후손과의 관계를 원만하게 조절하려는 샤머니즘은 세계 도처에 있던 원형적 종교 현상이지만, 고대 중국에서는 공자라는 천재적인 종교 사상가를 거치면서 완전히 새로운 사상과 윤리로 거듭난 것이다.

유시마 성당(湯島聖堂) 내 공자상. 세계에서 제일 큰 것으로 알려진 공자상이다.

물론 그 기초에는 조상 숭배라고 하는 원초적인 종교성이 놓여 있다. 일본 유교학자 가지 노부유키(加地伸行)에 따르면, 실제로 유교라고 말할 때의 그 '유(儒)'는 본래 죽은 이의 혼을 불러내어 산 이와 만나게 해 주는 일종의 '샤먼'이었다고 한다.* 조상을 모시고 귀신을 관리하는 일이 인류 종교사의 가장 오래되고 원형적인 종교 형태였던 셈이다. 그런데 공자의 영향력으로 인해, 그 조상신 신앙의 기본 틀은 유지하면서도 인간의 세련된 윤리와 국가의 통치 이념으로까지 발전되어 갔으니, 그것이 이른바 유교인 것이다. 그렇기에 원시적 무속 내지 신도적 전통이 주류를 이루던 초기 한국이나 일본은 한 차원 높은 유교적 세계관에 어느 정도 포섭되지 않을 수 없었던 것이다.

불교를 통해 계승되는 유교

그런데 적어도 일본에서 이러한 유교적 종교성을 계승해 오고 있는 주체는 재미있게도 불교라는 사실이다. 일본 가정의 절반가량이 부츠단 안에 위패를 모시고 있다는 사실은 이것을 상징적으로 보여 준다. 물론 일본에는 유교라고 하는 교단도, 유림(儒林)과 같은 집단도 없다. 자신의 정체성을 유교라고 하는 사람도 거의 없다. 그런데 조상 숭배와 같은 유교적 종교성은 한국보다도 더 강력하게 유지되고 있다. 집안에 설치된 가미다나나 부츠단 앞에 절하는 것을 거의 모든 일본인이 자연스럽게 받아들인다는 점에서 그렇다.

이러한 분위기는 불교 안에서는 물론, 그리스도교 안에서도, 그리고 세속주의자에게서도 감지된다. 일본인은 조상의 혼을 위로하고, 후에는 자신도 그렇게 위로 받게 될 것이라고 믿는다. 그렇게 유교적 정신이 이어져 가는 것이다. 공식적인 유교 신자가 없다고 해서, 전통적 사회 윤리가 쇠퇴한다고 해서 유교가 사라진 것은 아니다. 조상 제사를 중심으로 하는 유교의 근본 정신은 사실상 불교라는 옷을 입고 강력하게 지속되고 있다.

종교성의 원형으로서의 조상숭배

종교적 차원에서 보면 유교는, 사후 새로운 존재로 재생한다고 믿는 인도식 종교나, 개인적인 신앙만으로 영혼이 천국 같은 곳에서 영생한다고 믿는 그리스도교와는 다르다. 불교의 윤회적 세계관대로라면 조상신이란 당연히 있을 수 없을 것이다. 누구든 죽은 뒤 적어도 49일이 지나면 이미 다른 존재로 변해 있겠기 때문이다. 그러니 모실 조상이 따로 있을 이유가 없다. 그리스도교 역시 개인의 신앙 유무에 따라 내세가 결정되고, 그 내세는 현세와 단절되어 있는 세계로 간주하다 보니, 후손이 죽은 이를 위해 할 일이 차단되어 있을 수밖에 없다.

하지만 유교는 인간이 사후에도 세상 어딘가에 존속한다고 믿는다. 그런데 그것은 유교적 믿음만은 아니다. 전술한 대로 인류 공통의 믿음이다. 그러한 믿음 속에서 조상은 후손과 지속적인 관계를 맺는 존재가 된다. 그러한 관계성의 지속을 위해 후손은 조상의 육신을 기억할 묘를 만들고, 집에서는 그 혼을 받아들이는 신주 내지 위패를 모시며, 매일 참배도 하고, 시시때때로 제사를 드리는 것이다. 이해의 정도와 양상은 시대와 지역에 따라 다르지만, 이러한 조상숭배 분위기는 동서고금을 막론하고 유지되어 오고 있는 가장 원형적인 종교형태이다. 그러기에 그리스도교에서도 돌아가신 분을 위한 추모식을 여전히 거행하고, 불교는 윤회라고 하는 근본적인 세계관과 상관없이 혼령과의 교감을 중요한 의례로 하고 있는 것이다. 이런 것들은 사자(死者)와 끊임없이 교감해 온 인류 전통의 흔적이자 연장이다.

사찰 경내에 안치된 무덤에서 부모의 기일(忌日)을 맞아 가족과 친지가 분향을 하고 있다.

조상 숭배는 유교적 전통으로

일본에서는 법적으로 화장(火葬)을 하도록 되어 있다. 그리고 대다수가 유골은 불교의 사찰에 안치한다. 그러나 그런 겉모습만 보고 일본인이 대단히 불교적인 사람들이라고 단정할 수는 없다. 인도인처럼 뼛가루를 강물에 뿌리거나 일부 현대인들처럼 산야에 뿌리지는 않는다. 하지만 일본인의 시신이 머무는 곳은 결국 묘지라는 점에서, 또 묘지라는 것이 고대로부터 죽은 이를 지속적으로 만나기 위한 의도로 후손에 의해 조성되어 온 것이라는 점에서, 그리고 위패나 신주를 통해 늘 조상과 교감하고자 한다는 점에서 묘지와 위패를 중시하는 일본인의 생활 방식은 전형적으로 유교적 세계관을 반영한다. 교단이나 별도 조직이 없는 유교적 정신이 불교라는 조직을 통해 계승되어 오고 있는 것이다. 그런 까닭에 일본 불교는 어느 정도 유교적 불교이다. 조상과 후손의 관계성, 넓은 의미의 효(孝)를 중시하는 유교적 심층이 불교의 옷을 입고 본질적인 변화 없이 지속되고 있기 때문이다.

오늘날 일본인은 제사라는 말보다는 위령제(慰靈祭)라는 말을 더 많이 쓴다. 전국적으로 위령탑도 무수히 많다. 특히 제2차 세계 대전 패전의 경험 이후, 전몰자 중심의 위령제는 일본인의 일상문화나 다름없어졌다. 그런데 이 위령의 행위는 사자(死者)의 혼을 불러내어 지금 여기 현존시키는 전통적 제사 행위와 다른 것이 아니다. 위령 행위야말로 일본인이 의식적이든 무의식적이든 죽은 이와의 관계성 속에서, 조상과의 관계성 속에서 살아가는 유교적 존재임을 보여 주는 사례이다. 그렇기에 외형적으로는 불교도이지만, 적어도 조상숭배와 관련해서는 유교적 전통을 고스란히 유지해 오고 있는 것이다.

"조상님, 잘 부탁드립니다"

일본에 머무는 사이 일본 불교도의 신앙생활과 그 수준을 체험해 보고자 다양한 일반 신자들과 열흘 정도 함께 시간을 보낸 적이 있다. 강의도 하고, 사찰 답사도 하고, 이런 저런 법회나 가정에서 하는 종교 모임에도 참석했다. 그 중 인상적인 것은 릿쇼코세이카이 교회의 구역별 종교행사[法座]에 참여하기 위해 가정집을 찾을 때마다, 그 집을 찾은 신자들이 그 집안의 조상신에게까지 인사를 올린다는 사실이었다. 먼저 부쓰단(佛壇)에 모셔져 있는 본존불이나 개조(開祖)에게 인사한 뒤, "○○집의 조상님, 잘 부탁드립니다."로 방문 인사를 마무리했다. 교단의 개조에게 음덕을 요청하는 것도 다분히 일본적이지만, 방문한 집의 조상에게도 똑같이 인사하는 모습을 보면서 일본인이 지닌 조상신 신앙의 뿌리를 느낄 수 있었다.

조상 제사 전통을 수용하면서 일본적 종교로 자리 잡은 불교와는 달리, 일본에서 그리스도교가 성장하지 못한 주요 이유 중 하나도 조상 제사 내지 숭배 전통을 무시하거나 경시한 데에 있다고 할 수 있다. 집에 화재가 나면 급하게 가지고 나올 대표적인 물건이 위패라는 조사 결과에서, 일본적 종교성의 심층에 조상 숭배 내지 죽은 이와의 원만한 관계를 통해 현실을 지속하려는 다분히 유교적 사고방식이 들어 있다는 사실을 충분히 읽어 낼 수 있다.

* 가지 노부유키, 이근우 옮김, 『침묵의 종교, 유교』, 경당, 2002, 52쪽.

16.
일상화한 축제, 마츠리

제사로서의 마츠리

앞서 6장에서도 살펴보았지만, 한국인에게 '전근대'는 극복되어야 할 것이라면, '근대'는 추구되어야 할 것이었다. 하지만 일본의 경우는 반대에 가까웠다. 일본에서 '전근대'는 질서적이거나 익숙한 것이었고, '근대'는 무질서하거나 낯선 것이었다. 특히 메이지 시대(1868~1912) 이후 전근대는 유지되고 지켜져야 할 전통적인 것을 의미했다. 당연히 물질문명 차원에서는 서양적 근대성을 추구했지만, 정신문명 차원에서는 전근대, 즉 전통을 고수하고 발전시켰다. 그리하여 서양화와 동일시되지 않는 근대화를 이룬 대표적인 나라가 되었다. 이런 정황을 잘 보여 주는 것 중 하나가 '마츠리(祭り)'이다.

효고현 히메지 시에서 마치바라하치만 신사(松原八幡神社) 주최로 매년 10월에 열리는 나다싸움 마츠리(灘のけんか祭り). 세 개의 미코시(神輿)를 서로 부딪히면서 여러 마을 간 조화를 도모하는 행사이다.

마츠리(祭り)는 신에게 드리는 제사를 의미하며, 고대로부터 있어온 전통적인 것이었다. 제사는 개인이든 집단이든, 바치는 인간과 받는 신과의 연결을 통해 개인의 내면적 통일 내지 집단적 통합을 목적으로 하는 종교의례이다. 신들에게 제물을 바치고 가무 등의 의식을 행하면서 신의 음덕(陰德)을 나누어 받고, 그 힘으로 개인의 평안과 공동체적 결속을 도모하는 행위인 것이다.

더욱이 종교와 정치가 일치하던 고대 일본에서는 정치도 마츠리였다. 신이 신관(神官)에게 임하면 신관의 말이 곧 신의 말이 되듯이, 천황이 마츠리를 집행하던 고대에는 신이 천황과 일체가 되어 천황을 통해 자신의 말을 한다고 믿었기 때문이다. 오늘날 '정치(政治)'를 일본어로는 '세이지' 라고 발음하지만, 경우에 따라서는 '마츠리고토' 라고 읽기도 하는 데에서 고대 제정일치적 흔적을 찾아볼 수 있다. 마츠리는 종교로 표현되든 정치로 표현되든 신과의 관계성 속에서 인간의 길을 풍요롭게 갈 수 있기를 염원하는 원초적인 행위였던 것이다.

릿쇼코세이카이에서 매년 10월에 주최하는 이치죠사이(一乘祭)의 한 장면. 저녁 늦게까지 진행되는 이 행사를 통해 법화경의 일승(一乘)사상을 고취하고 종단의 정체성을 재확인하며 지역민에게 종단의 이념을 알린다.

엄숙함에서 흥겨움으로

현재 마츠리는 신사나 사원 내지 지역상점회 등을 주체 혹은 무대로 하면서, 풍작이나 풍어, 질병 퇴치, 가족 안전, 사업 번성 등을 목적으로 하는 기복적인 것이 많다. 일 년

이치죠사이(一乗祭)는 불탑 모양의 미코시를 앞세우는 가운데 다양한 의례와 행진으로 거의 하루 종일 진행된다. 마츠리를 마무리하기 위해 모든 참가자가 광장으로 모이는 장면이다.

을 무사히 지내온 데 대한 감사의 마츠리도 있다. 특정 종교 단체의 이념을 보여 주고 단합을 도모하려는 마츠리도 있고, 위대한 인물의 혼을 위로하고 대접하기 위한 마츠리도 있다.

이때 대다수 마츠리에 빠지지 않는 것이 있는데, 신위를 모신 가마, 즉 미코시(神輿)이다. 마츠리에는 미코시를 필두로, 이런저런 장식을 한 단지리(山車), 북차(太鼓台) 등이 등장한다. 그리고 각종 도구나 악기를 든 축하 행렬이 따르면서 분위기를 고조시킨다. 주변에는 먹거리 장터가 즐비하게 들어선다. 원래는 신들을 대접한다는 의미로 준비된 음식들이었지만, 오늘날은 마츠리를 구경하고 그에 참여하는 사람들의 여흥을 북돋는 기능을 한다. 본말이 전도되지 않았나 싶을 정도로 세속적이며 그만큼 흥겹다.

물론 마츠리가 본래 신을 모시는 엄숙함과 사회의 정화를 축하하는 흥겨움이 동시에 들어 있는 종교적 행사이지만, 요즘 들어 급격히 엄숙함보다는 세속적 흥겨움이 더 많이 묻어난다고 해서 특별히 낯설거나 새삼스럽게 느껴지지는 않는다. 현세적 내지 기복적인 신관념을 지녀온 일본인에게 신에 대한 제사가 현실적인 즐거움을 주는 행사와 연결될 가능성은 고대에서부터 배태(胚胎)되어 있었고, 오랜 세월 동안 어느 정도는 이미 경험해 오던 것이기 때문이다.

일상적 삶에 활력을

앞에서도 보았지만, 일본에는 고대로부터 다양한 신들이 존재해 왔다. 특히 조상신 신앙 전통을 여전히 강하게 유지해 오고 있는데, 이것은 그만큼 인간과 신령의 경계가 모호하다는 뜻이기도 하다. 가령 일본에서는 죽은 사람을 '호토케'라 부른다. 호토케란 부처(佛)라는 뜻이고, 오늘날도 부처님을 '호토케사마

도쿄도 이케부쿠로 상점연합회에서 주최하는 '부쿠로마츠리'의 한 장면. 상점회의 번영을 도모하는 이런 식의 마츠리가 일본에서는 비교적 흔하다.

(佛樣)' 라고 부르니, 죽은 사람이 곧 부처가 된다는 뜻이다. 인간과 신들의 경계가 모호한 일본적 분위기의 반영이다. 엄격한 유일신 종교 전통에서는 종교적 제사가 흥겨워지거나 시장판처럼 변하기가 어렵지만, 다양한 신관, 무엇보다 '인간적인' 신들을 배경으로 하고 있는 일본에서 마츠리가 신적 경건성 못지않게 인간적 혹은 현세적 흥겨움으로 표현될 가능성은 상존해 왔다. 중요한 것은 그 인간적 흥겨움으로부터 일상적 삶을 새롭게 살 수 있는 힘을 얻는다는 것이다. 그런 점에서 마츠리는 종교적 엄숙함과 일상적 흥겨움이라는 양면이 공존하는 축제(祝祭)인 것이다.

보여 주는 마츠리로

한 마을이 주로 친족 관계로 구성되어 있던 시절, 그리고 누구든 마을을 떠나서는 살기 힘들던 시절에는 개인보다는 마을, 일본식으로 '부라쿠(部落)' 나 '슈라쿠(集落)' 혹은 '무라(村)' 를 중시했다. 개인의 사정과 관련해 무슨 일이 생겨도 가능한 한 그 일을 용납하면서 마을의 공동체성을 훼손시키지 않으려고 애썼다. 그 장치 중 하나가 마츠리였다. 이때 외지인은 마츠리에 참여하기 힘들었고 시대 정황상 참여할 일도 거의 없었다. 그러니 마츠리가 자기 집단 중심적으로 흘러온 것은 당연했다.

하지만 인구 이동이 빈번해지면서, 더욱이 여러 마을 출신의 사람들이 모여 사는 도시가 생기면서, 기존 마츠리에도 변화가 일어나게 되었다. 마츠리에 구경꾼이 생기면서 일종의 '보여 주는 마츠리'로 변화하기 시작했다. 주최측은 물론, 구경꾼도 참여시키고 만족시키기 위해 이벤트적 요소가 덧붙여지면서, 외지인과 함께하는 개방된 마츠리가 성행하기 시작한 것이다.

제사의 세속화 그리고 일상화

과거에 제사는 주로 밤에 지냈다. 일몰 후 다음날 일몰까지 저녁 때 신을 모시는 것이 보통이었다. 그런데 외지인들과 섞여 사는 일상사가 분주해지고 친족 중심의 사회에서 벗어나면서, 제사에도 일상의 질서가 개입되기 시작했다. 주최측과 구경꾼의 현실적 눈높이에 맞추어 시간도 밤에서 낮 혹은 저녁으로 바뀌었다. 신과의 관계와 일상의 풍요라는 원칙적인 목적은 유지하되, 일상의 풍요 쪽으로 무게중심이 옮겨갔다. '제사'보다는 '마츠리'라는 용어에 흥겨운 축제성이 부여되면서 제사의 일상화가 이루어진 것이다.

물론 신사에서 직접 관할하는 마츠리도 있고, 특정 종교 단체에서 주관하는 마츠리도 있지만, 실제로는 지역상인연합회 같은 데서 주최하는 세속적인 소규모 마츠리가 더 흔하다. 마츠리가 열리면 어김없이 상인들은 길가에 노점을 차리며, 이른바 먹자골목과 시장판이 순식간에 연출된다. 여기에 상술이 반영되는 것은 어찌 보면 당연하다. 마츠리의 세속화를 잘 보여 주는 현장이라 하겠다.

한국식 마츠리, 연등축제

일본에 머물면서 전통 문화가 계승, 발전되고 있는 현장은 늘 부러웠다. 한국에도 예전에는 마츠리에 해당하는 것이 많았지만, 서양적 근대화의 바람 속에서 마치 극복되어야 할 전근대적인 것이라도 되는 양 간주되면서 불행히도 급감하고 말았다. 그에 반해 일본에서 마츠리는 지역 사회 내지 공동체를 결속시키고 일본적 정체성을 확인하는 민중적 종합예술의 역할을 톡톡히 해낸다. 그런 것을 보면서 한국에서도 과연 이런 축제적 분위기가 살아날 수 있을지 염려 섞인 상상을 하기도 하고 이런저런 구상을 해보기도 했다. 과연 한국식 마츠리는 회복되고 발전할 수 있을까.

쉽지 않은 일이지만, 현재로서는 불교계의 연등축제 같은 것이 대표적인 실험적 시도로 보인다. 연등축제가 한국 불교를 대표하는, 나아가 한국을 대표하는 마츠리로 자리 잡을 가능성은 커 보인다. 물론 그러려면 부단한 노력이 필요하다. 특히 일본에 비해 그리스도교, 불교 등 종단의 색채가 분명한 한국에서, 불교식 연등축제가 그리스도교인에게도 어색하지 않은 국민적인 마츠리가 되려면 더욱 그렇다. 한국 사회가 갖고 있는 전통적이면서도 보편적 정서와 부합하는 축제가 되도록 부단히 연구해, 국민적 내지 사회적 공감대를 얻을 수 있도록 해야 한다.

그리고 지역별로, 또 종단별로 다양한 마츠리들을 복원하고 개발해야 한다. 물론 그 전제와 토대는 공동체적 공감대이다. 그것이 어찌 쉬운 일이겠는가. 현재 지역별 축제들이 곳곳에서 벌어지고 있지만, 시류에 휘둘린 국적 없는 표피적 문화처럼 비쳐지는 곳이 많다. 이벤트성 깜짝 행사보다는 무언가 전통과 현대의 분위기가 지역적 공감대 안에 담긴 한국식 마츠리의 복원과 개발은 한국인으로서의 의무이기도 하다. 일본에서 마츠리가 '전근대적' 전통의 우월성과 익숙함을 지속하는 과정이라면, 한국식 마츠리를 복원해야 할 책임은 아무래도 현대적 정황 속에 처한 전통 종교 쪽에 더 크게 놓여 있는 것 같다.

VI. 종교와 일상성

일본인이 지켜온 전통은 그저 수구주의적이거나

군국주의적인 것만은 아니다. 일본인의 전통 속에는

종교적 양상들이 적절히 포함되어 있다.

일본인 자신은 '무종교' 라는 말을 자연스럽게 내뱉지만,

외형적으로 보면 일본인은 한국인에 비해

더 종교적인 성향을 보여 준다.

17. 사무라이와 일본인의 혼

다도와 선불교

일본 도시를 다니다 보면 '다도교실(茶道教室)'이라는 간판이 걸린 작은 교육 기관을 종종 볼 수 있다. 전통적 다도를 가르치고 보급하는 사설 교습소인 셈이다. 차를 우려 마시는 데에도 도(道)가 있다는 것인데, 그 예법에 따라 차를 준비하는 과정은 예술이자 종교에 가깝다. 순간이 영원인 듯, 부분이 전체인 듯, 작은 행동과 절차에 성급하거나 어설픈 데가 없다. 차를 준비하고 우려내 따라 마시는 동작 하나하나에 진지함과 엄숙함이 깃들어 있다. 과정은 안중에 없이 목적만 향해 달려가는 성급한 현대인에게는 일상의 흐름을 접고 자신을 돌아보게 만드는 일종의 종교적인 기능까지 한다고도 할 수 있다. 그만큼 다도는 과정을 중시하고, 어떤 순간

시즈오카에 있는 한 다도 교실에서 제자가 시연을 위해 차를 준비하는 과정을 선생이 옆에서 지켜보고 있다. 다도에는 선불교적 정신이 녹아 있다.

이든 어떤 만남이든 그것은 한 번뿐이라는 순간의 유일성[一期一會]에 충실하고자 한다. 모든 동작은 절제되어 있으며 느리기 그지 없다. 그러면서 그 느림 속에 이른바 정중동(靜中動)의 미학이 유감없이 담겨 있다.

이 미학은 기본적으로 선불교적 정신의 반영이다. 선(禪)은 과정 하나하나를 목적으로 다루는 철학이자 순간을 영원으로 사는 자세이다. '다선일미(茶禪一味)'라는 말이 있듯이, 일본에서 다도는 선적 세계관의 전형적인 문화화이다. 일본 선종에서는 승려들에게 '화·경·청·적(和·敬·淸·寂)', 즉 불성에 근거한 조화, 공경, 청정, 정적의 생활 방식을 가르치는데, 그것도 다도의 정신이자 자세인 것이다.

그런데 일본에서 이러한 문화가 발달한 것은 묘하게도 무사(부시, 武士), 즉 사무라이(侍) 질서가 정점에 달했을 때이다. 일본 다도의 완성자[茶聖]라는 센노리큐(千利休, 1522~592)도 이른바 전국 시대(戰國時代)의 막바지에 본격적인 활동을 했다. 사무라이가 봉건 영주로서 주도적 역할을 하면서 선불교의 세계관을 수용해 낸 시대, 그 속에서 차가 그저 음료 수준을 넘어서고, 차 마시기가 그저 목 축이기 정도가 아닌, 하나의 도(道)로서 성숙되는 계기가 마련된 것이다. 한국에도 다도가 있고 역사는 일본보다 오래되었다지만, 차에 관한 한 일본이 훨씬 더 문화화한 것으로 보인다.

잇쇼켄메이, 사무라이 정신

일본은 오랜 세월 군사 문화에 익숙했었다. 전국시대를 지나고, 도쿠가와 이에야스(德川家康) 이후 전쟁 없이 평화를 구가하던 이른바 에도 시대(1603~1867)에 들어서도, 일본의 주인공은 이른바 쇼군(將軍) 내지 사무라이였다. 이 가운데 사무라이라는 발음은 '모신다' 는 뜻의 한자 '侍' 자에 대한 일본식 발음이다. 물론 사무라이는 기본적으로 무사이다. 신분상 귀족이면서, 귀족을 가까이서 모시는 경호원과 같은 역할을 하는 사람이기도 했다.

사무라이가 일본에서 주류 세력으로 등장하게 된 것은 가마쿠라 시대(1192~1333)부터이다. 세이와(清和) 천황의 후손인 미나모토 요리토모(源頼朝)가 사실상 실권을 장악하고는 오늘날 도쿄 서남부에 있는 가마쿠라에 쇼군의 정부인 바쿠후(幕府)를 세우면서, 일본은 일종의 군사 문화 속으로 들어가게 되었다. 그 뒤 사무라이는 본래는 전투의 전문가였지만 점차 일정한 지역에 뿌리내리고 사유 전답을 경영하면서 봉건 사회의 영주와 같은 역할을 하게 되었다.

사무라이는 소작농 제도를 이용해 농민을 지배하면서 토지를 관리하고 때로는 확대해 다시 후손에게 증여하는 역할을 자신의 숙명처럼 여기는 삶을 살아왔다. 주군(主君)이 하사한 영지를 생활 근거로 하면서, 거기에 평생 목숨 거는 자세를 뜻하는 잇쇼켄메이(一所懸命)라는 말*은 사무라이적 정신의 근간이자, 일본적 정신성의 기초라고 할 수 있다. 이렇게 일본이 쇼군 치하로 들어간 뒤, 1868년 메이지 정부가 출범할 때까지 700여 년간 사실상 일본 정치와 사회를 이끌어 온 무사 계급을 총칭하는 말이 사무라이다. 그리고 오래 전승된 사무라이 문화는 일본을 중국이나 한국과는 다른 양상으로 이끌어 가게 되었다.

일본 전통 예술의 기초를 닦다

잠깐 언급한 대로 사무라이가 발흥하던 가마쿠라 시대는 일본 역사에서 불교가 가장 성행한 시대이자, 일본적 문화의 기초가 놓인 시대이기도 하다. 사무라이가 전형적인 봉건 영주로 기능하던 무로마치(室町) 시대(1338~1573)에 들어서는, 한편에서는 은둔형 현자들에 의한 불교적 무상관(無常觀)이 유행했고, 다른 한편에서는 다도, 꽃꽂이 등 일본적 예술과 문화가 꽃피었다. 여기에는 기본적으로 불교적 세계관이 반영되어 있고, 그 불교를 반영한 사무라이의 미학과 철학이 기초에 놓여 있다. 그러면서도 그 실천적 자세의 핵심, 즉 주군은 가신에게 은혜[恩]를 베풀고 가신은 주군을 받드는[奉公] 자세는 점차 유교적 윤리와 결합되면서 그 독특성이 확립되어 갔다고 할 수 있다.

교토(京都)에 있는 긴가쿠지(銀覺寺) 내 토구도(東求堂, 국보). 긴가쿠지는 임제종 계열의 선종 사찰이지만, 본래는 1482년 무로마치 시대 8대 쇼군인 아시카가 요시마사의 별장용으로 지어진 것이다.

무로마치 시대 사무라이들은 많은 예술가들의 후원자가 되었다. 그리고 그 예술가들의 작품을 소유하고 누리는 방식으로 예술가를 지원했고 오늘날 일본 전통 예술의 기초를 닦았다. 이 시대를 풍미했던 미적 주제는 유현미(幽玄美)였다. 유현미는 지금 눈앞에 펼쳐진 아름다움보다는 외양 깊숙한 데 감추어져 있는 아름다움에 무게중심을 두는 미학적 태도이다. 진중하게 하나에서 전체를 보는 듯한 이러한 태도는 종교적으로 보자면 상당히 불교적이었다.

무로마치 시대에는 정치적으로는 혼란스러웠으나 종교적으로는 특히 선종(禪宗)의 영향으로 다도나 꽃꽂이는 물론, 사무라이 가문의 안녕을 기원하는 가면극인 노(能)가 유행했고, 화려한 복식으로 유명한 전통 가무극(歌舞劇) 가부키(歌舞伎)가 시작되었다. 실질적인 최고 통치자인 쇼군은 일종의 별장을 지어 최고급 상류문화를 향유하기도 했다. 교토(京都)에 있는 킨가쿠지(金閣寺)나 긴가쿠지(銀覺寺) 등 일본 대표적인 보물들은 이 시대 쇼군의 별

일본 전통 악기 샤미센(三味線). 16세기부터 일본에서 사용되었으며, 가부키(歌舞伎) 등의 전통 공연이나 민속 음악에 빠질 수 없는 악기이다. 니가타 현(新瀉縣)의 한 가정집에서 필자를 포함한 외국인 교수 몇몇을 초대한 자리에 이웃 주민이 함께해 자신이 아끼는 악기 샤미센을 소개하며 열정적으로 시연하고 있다. 일본적인 소리가 물씬 묻어난다.

장용으로 세워진 것들이라고 할 수 있다.

무사도와 일본혼

앞서 말한 대로 일본은 끝없는 전쟁에 휘말렸던 전국시대를 지나 도쿠가와 이에야스라는 탁월한 쇼군을 만나면서 평화 시대를 구가하게 되었다. 에도 시대(1603~1867)라 불리는, 이 전쟁이 없던 시기를 지내면서 자연스럽게 사무라이의 정체성에도 변

일본인이 존경하는 최고의 쇼군인 도쿠가와 이에야스의 위패를 모시는 신사가 도조구(東照宮)이다. 도조구는 한때 전국적으로 500여 개에 이를 정도로 엄청났지만, 메이지 시대 이후 다소 줄어 현재 동일한 이름의 신사가 130여 개 정도 된다고 한다. 도쿠가와는 시즈오카현 도조구에 제일 먼저 모셔졌다가, 1617년 니코시에 있는 도조구로 옮겨갔다. 사진은 시즈오카현에 있는 도조구 내 도쿠가와 보탑이다.

화가 생겼다. 무사로서의 신분은 지속되면서도 유교적 세계관에 근거한 윤리적 측면 내지 정신적 측면이 강조되기 시작했다. 평화가 지속되던 시대의 사무라이들에게 전쟁이란 평화로운 일상에 긴장을 부여하기 위한 관념적 사상이나 다름없었다. 지금 당장 싸우기 위한 기술 능력보다는 비상시가 되면 용감히 싸우러 나가야 한다는 신념과 정신력이 중시되었다. 이렇게 무장되고 관념화된 유교적 사무라이 정신에 좌선(坐禪)과 같은 정신 집중의 수행, 불교 사상의 핵심인 무아론(無我論) 등이 결부되면서 이른바 '무사도'(부시도, 武士道)가 탄생했다. 명예와 대의를 위해서는 자신을 아무 것도 아닌 것으로 여기고서, 기꺼이 목숨까지 내줄 수 있는 이러한 정신은 점차 일본적 분위기 내지 정신의 전형으로 간주되었다.

꽃은 벚꽃, 사람은 무사

사무라이 정신은 특히 벚꽃의 이미지와 잘 어울린다는 것이 일본인의 생각이다. 명예와 대의, 그리고 주군을 위해 목숨까지도 바치는 모습은 화사하게 피었다가 깨끗하게 떨어지는 벚꽃의 모습에 비유된다. 에도 중기에는 '꽃은 벚꽃, 사람은 무사'라는 말이 회자되기도 했고, 메이지 유신 이후 군국주의가 노골화하면서는 벚꽃이 지는 모습을 군인의 이상적인 죽음으로 비유하는 일이 자연스럽게 받아들여지기도 했다. 제2차 세계 대전 막바지인 1944년에 만들어진 「동기의 벚꽃」이라는 군가 – '자네와 나는 동기의 벚꽃, 같은 병학교(兵學校)의 정원에 피네. 핀 꽃이 지는 것은 이미 각오한 바, 멋지게 지기로 하세. 나라를 위하여' – 에도 담겨 있듯이, '아름답게 지는' 벚꽃의 이미지를 대의에 맞게 깨끗하게 자신을 내어주는 '일본인의 혼[야마토고코로, 大和心]'과 연결시키는 것은 중년 이상의 일본인이라면 이심전심으로 느낄 법한 일이라 하겠다.

하지만 이러한 정서는 사실상 군국주의가 강화되던 메이지 시대 국민 교육을 통해 다져진 것으로서 보통의 일본인이 생각하는 것만큼 오랜 전통은 아니라는 것이 일본사상가 아마 도시마로(阿満利麿)의 견해이기도 하다.** 그렇더라도 오늘날 일본인이 떨어지는 벚꽃에서 인생의 무상과 자기 희생을 읽기도 한다는 점에서 벚꽃이 일본의 국화가 된 데에는 사무라이 정신이 기초에 놓여 있는 셈이다.

세계 속에 일본 문화의 전형을 심다

일본 근대화의 기초를 닦은 메이지 시대에 들어서자 사무라이라는 신분은 존폐의 위기에 놓이게 되었다. 유럽식 근대를 추구하던 메이지 시대, 사무라이는 무사의 상징인 칼을 찰 수 없게 되었다. 일본에서 무사라는 신분은 사실상 소멸되어 간 것이다. 그렇다고 해서 700여 년 이상 지속되어 온 문화 내지 분위기가 하루 이틀 만에 사라질 수 있는 것은 아니었다. 사무라이의 정신은 그 사이 이미 일본인의 골수 안에 뿌리내렸다. 일본인 스스로 사무라이 정신을 가치 있는 전통으로 간주했다. 이러한 흐름과 역사를 반영하면서 니토베 이나조(新渡戸稲造, 1862~1933) 같은 사상가는 사무라이 정신을 세련된 일본적 사상으로 정리해 세계 각국에 소개했다.

니토베는 38세 때 영문으로 낸 책 『무사도』(Bushdo, The Soul of Japan, 1899)에서 무사도의 기본 정신을 충성, 용기, 명예, 공손, 정의라고 하는 유교적 세계관에 따라 해석했다.*** 무사도의 기원은 중국철학에 있지만 일본에서 발전한 무사도는 유럽의 기사도와 그리스도교 도덕과도 유사하다며 무사도의 보편성을 부각시켰다. 실제로 이런 식의 무사도는 메이지 이전의 봉건 영주와 같은 사무라이 문화와는 거의 다른 것이라 할 수 있을 정도이지만, 니토베의 저술로 인해 일본의 무사도는 세계 각국에 일본의 전통적인 사상 혹은 문화의 전형으로 알려지게 되었다.

사무라이 정신의 세속화

어찌 되었든 사무라이 정신, 즉 주군에 충

성하고 자신의 신념을 관철시키기 위해서는 죽음도 불사하는 비장한 결의는 메이지 후기에는 일본 내 사회주의 운동의 정신 속으로 녹아들어 갔고, 제2차 세계 대전 당시에는 '타이아타리(体當り)' 라고 하는 자폭특공전술의 일환으로 조성된 가미카제(神風) – 미국의 군함을 침몰시키기 위해 비행기에 몸을 싣고 일부러 충돌하여 자살하는 방식 내지 그때 사용된 비행기 – 처럼 극단적인 양상으로 나타나기도 했다. 자신의 규칙인 명예와 신념을 더럽히느니 기꺼이 죽음을 택하는 사무라이 정신은 비록 무대는 다르지만 오늘날 폭력집단인 야쿠자 등은 물론, 일본의 수직적 기업 문화에도 여전히 그 흔적이 남아 있다.

오늘날 일본인은 상당히 세속화되어 있으며, 특정 공동체 내지 단체로서의 종교에는 그다지 소속되고 싶어 하지 않는다. 하지만 일본인 스스로도 자긍심을 가지고 있는 무사 문화 내지 다도와 같은 일본의 전통 문화 속에는 기본적으로 불교 내지 유교와 같은 종교적 세계관이 깊이 녹아 있다고 할 수 있다.

* '잇쇼켄메이' 의 본래 한자는 '一莊懸命' 이었다. 여기서 莊은 사무라이의 영주가 거처하던 莊園을 의미했다. 그러다가 莊의 개념이 누군가 소속된 '장소' 라는 넓은 의미로 확대되면서 '一所懸命' 이라는 말이 생겨났고, 다시 '일생' 동안 목숨 바쳐 일한다는 시간 개념으로 확장되면서 '一生懸命' 이라는 말도 생겨났다. 이들 일본어 발음은 모두 '잇쇼켄메이' 로 동일하다.

** 아마 도시마로, 정형 옮김, 『천황제 국가 비판 - 일본국가주의와 유사종교의 함정』, 제이앤씨, 2007, 26쪽.

*** 니토베 이나조, 권만규 · 양경미 옮김, 『일본의 무사도』, 생각의나무, 2006.

18. 일본의 정신과 서양의 문물

일본적인 발언 몇 가지

지금까지 살펴본 대로 일본인은 자신들의 전통을 잊고 새로운 흐름에 함몰되기보다는 새것을 받아들이고 소화하되 전통은 지켜 가는 저간의 흐름을 이어왔다. 오늘날 일본 역시 기성세대는 젊은 세대들이 오랜 전통을 쉽사리 잊어버린다며 안타까워하고 한탄하기도 하지만, 그래도 일본 사회는 전반적으로 한국에 비해 전통적 정서가 잘 유지되고 있는 나라로 보인다. 서양 문화에 대해 훨씬 개방적이면서도 전통적 정체성을 잘 유지해 오고 있는 것이다.

일본의 제국주의적 세력이 한창 확장되던 20세기 초, 외래 사상을 소화하면서 전통을 보수(保守)해 나가자는 지성인들의 외침이 곳곳에서 들려왔는데, 이는 교토제국대학의 대표적 철학자들인 니시다 기타로(西田幾多郎) 등의 발언에 잘 담겨 있다. 가령 니시다는 1933년, 일본의 존재 이유에 대해 이렇게 말한 바 있다.

> 우리는 우리 민족의 마음 속 깊은 곳에서 생겨난 세계 사상을 건설해야만 한다. 그것은 … 자신의 입장에서 오늘날의 세계 사조(思潮)를 소화하고 다루는 것이어야만 한다. … 세계 사조를 자기 자신의 입장에서 다룰 수 있을 때, 우리는 세계의 일본인으로서 밖으로는 세계를 다스리고, 안으로는 인심(人心)을 통일할 수 있다.

서양철학자 스즈키 시게타카(鈴木成高)는 이렇게 말했다(1942).

> 오직 우리 일본만이 그 점(유럽에 대한 자주성)에서 독자적인 태도를 보여 주었다는 것은, 바야흐로 세계사의 전환에서 우리 일본이 수행하는 역할에 특유한 의미를 부여해 줍니다. 아시아에서 일본의 근대국가화라는 사실은 세계사적 의의를 갖는 중대한 사건이라 평가해야 합니다. … 아시아의 일본이 유럽적인 것을 섭취함으로써 강화되었다는 것은 … 보기 드문 의의를 갖습니다.

화혼양재, 일본의 정신과 서양의 문물

니시다를 비롯한 교토학파 철학자들이 일본 제국주의적 세 확장의 이념에 의식적이든 무의식적이든 기여한 우익 성향의 철학자들이라는 것을 떠나서, 이러한 발언은 근대 초기 일본인의 사고방식을 잘 보여 준다. "자신의 입장에서 오늘날의 세계 사조를 소화하고 다룬다."는 니시다의 말이나, 일본이 유럽적인 것을 섭취하되 유럽에 대해 독자적인 태도를 지니게 되었다는 스즈키의 분석은 모두 화혼양재(와콘요사이, 和魂洋才)적 사고방식의 전형을 잘 보여 준다. 물론 그것은 그저 사고방식에 머무는 것이 아니라 실제로 성취해 낸 일이기도 하다. 객관적으로 보건대 일본은 서양 문화[洋才]를 비교적 창조적으로 소화하며 전통적 정신[和魂]을 성공적으로 지켜온 나라이다.

일본의 전통적 정신을 '화혼(와콘, 和魂)'이라 하는 데에도 담겨 있듯이, 일본인은 개인의 '튀는' 목소리보다 전체의 조화[和]를 중요한 가치로 여긴다. 우리의 주제와 관련짓자면 여기에는 남들과 구별되려고 하지 않고, 굳이 반대의 목소리를 내지 않으며, 기존 내부의 흐름을 따라가려는 오랜 정서가 반영되어 있다는 사실을 기억할 필요가 있다. 이것이 일본 전통을 유지시켜 왔고 집단주의적 가치를 적극적으로 용인하게 해 주었던 것이다. 다른 맥락이긴 하지만, 그리스도교처럼 초월적 성향이 강하게 부각되는 종교나 신령이 일본 사회에 잘 자리 잡지 못하게 되는 원인도 일정 부분 전통적 가치 내지 문화를 유지하려는 성향에 있다고 할 수 있다.

'무종교' 이면서 종교적인

물론 일본인이 지켜온 전통은 그저 수구주의적이거나 군국주의적인 것만은 아니다. 일본인의 전통 속에는 종교적 양상들이 적절히 포함되어 있다. 일본인 자신은 '무종교' 라는 말을 자연스럽게 내뱉지만, 외형적으로 보면 일본인은 한국인에 비해 더 종교적인 성향을 보여 준다. 가령 전 국민의 절반 이상이 매년 정월에 신사에 참여해 복을 비는 행사[하츠모데]를 하고, 44% 가량이 집에 가미다나(神棚)를, 절반 가량이 부츠단(佛壇)을 설치하고 있으며, 건물을 신축하면 신주(神主)를 불러 지진제(地震祭)를 지내는 것이 익숙하다. 동네 곳곳에 동네의 신들이 모셔진 신사가 설치되어 있는 것은 새삼 거론할 것도 못 된다고 할 수 있다. 한국인에 비해 오랜 종교적 정서를 강하게 지속해 오고 있는 것이다.

그런데도 일본인 가운데 딱히 어떤 종교를 '믿는다' 고 말하는 사람은 소수이다. 앞에서도 보았듯이, 일상을 넘어서는 초월적 존재에 대한 신념과 같은 것으로서의 믿음은 일본인에게 영 어색하기 때문이다. 특정한 공동체에 속해 정기적인 종교의례에 참여하는 행위

같은 것을 부자연스럽게 느낀다. 현실을 누리기도 바쁜데 언제 저 초월의 세계를 지향하는가 하는 의구심을 갖는다. 그런 식으로 일본인은 일상적 삶과 분리된 종교 공동체에 속하려 들지 않는다. 특히 '종교' 라는 낱말 안에 담긴 유신론적 선입견은 더욱이나 많은 일본인들로 하여금 자신은 '무종교' 라고 말하게 하는 심리적 원인으로 작용한다.

근대의 세속적 종교성

이러한 심리는 일본인으로 하여금 자신도 모르는 사이에 기존의 일상 중심적 종교관 내지 세속주의를 강화시키는데 일조했다. 이미 본 대로 메이지 시대 이후 서양 문명을 받아들여 물질적 풍요를 이루었으면서도 초월적 혹은 이원론적 신관에 대한 어색함으로 인해 서양식 종교는 일본 사회에 거의 발붙이지 못했다. 서양 종교가 발붙이지 못했을 뿐 아니라, 서양

도쿄의 대표적인 젊음의 거리인 하라주쿠에서 '코스프레'를 하고 '프리허그'(누구든 안아드립니다) 팻말을 들고 있는 청년들. 현대 일본의 젊은이들은 거침없는 자유를 구가하고 기성세대는 이들의 무목적적 삶을 염려한다.

종교는 도리어 일본적 전통의 정체성을 확인시키는 계기로 작용했다. 그러면서 그들이 이룩해 낸 고도의 물질문명은 일본의 일상 중심성을 세속주의적 차원에서 더 강화시켜 갔다.

16장에서도 보았지만, 급격한 도시화로 각 지역의 사람들이 고향을 떠나 섞여 살게 되면서 공동체적 정체성을 확인시켜 주던 마을 단위의 마츠리들도 현대적 정서에 어울리는 세속주의적 분위기로 바뀌어 갔다. 굳이 낯선 정기 종교 의례에 참여하지 않아도 가정에 설치된 가미다나 앞에서 조상님께 간단히 기도하고, 잊을 만하면 벌어지는 마츠리에 참여하는 것만으로도 종교심은 충분히 발휘된다 생각했고, 곳곳에 있는 신사에서 '가족건강과 사업번창'을 위해 합장 한 번 하고 가는 것만으로 종교적 욕구는 충족되었다.

물론 일본적 제사라 할 수 있는 마츠리에는 엄숙과 경건의 측면도 있다. 종교적 깊이도 느껴진다. 하지만 소란과 난장판 비슷한 분위기로 마무리될 때도 많다. 마츠리는 종교적 제사이기도 하지만 노점상의 화려한 불빛과 왁자지껄한 소음으로 치장된 신나는 잔치이기도 하다. 마츠리가 카니발과 같은 분위기로 이어지고, 일종의 '카오스'와 '엑스터시'의 시공간이 되기도 하는 것이다. 마츠리의 상당수를 지역 사회의 활성화, 관광객 유치, 상점 세일을 통한 매출 확대 등을 목적으로 특정 지역 상점연합회에서 주최하고 있는 것도 일상적 풍요와 하나 되기를 바라는 일본적 종교성을 잘 보여 준다.

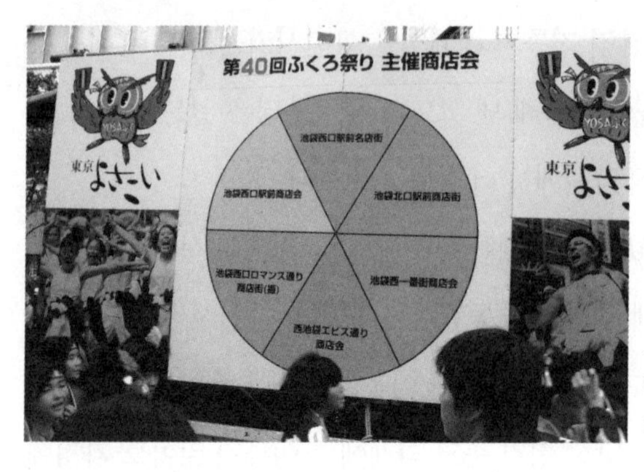

도쿄 이케부쿠로 지역 상점연합회에서 매년 가을에 여는 마츠리 안내판

현세적 세속주의의 강화

이렇게 일본인은 종교에서도 현세 중심성을 드러낸다. 다소 부정적인 뉘앙스로 말하자면 일본인은 다분히 세속적이다. 그리스도교인은 전 국민의 1%도 되지 않고, 당연히 크리스마스가 공휴일도 아니지만, 크리스마스 시즌이 되면 각종 장신구들로 온 도시가 화려해진다. 크리스마스 트리를 달아 놓고 밤을 밝히는 집도 부지기수이다. 젊은이들은 개인적으로는 그리스도교와 전혀 상관이 없으면서도 상당수가 교회나 교회식으로 꾸민 호텔 예식장에서 결혼식을 거행한다. 서양 종교도 하나의 문화 현상 차원에서 누리는 것이면 충분하다고 생각한다. 일본인의 일상 중심적 세속주의의 단면들인 것이다.

최근에 생겨나고 있는 신종교에서도 이러한 분위기가 감지된다. 신종교도 인간의 현세적 행복을 위한 가르침을 강조하고 있으며, 교단종교로서의 전통 불교도 이러한 현세 중심성과 타협한다. 전통 불교가 엄격한 윤리나 수행적 가치를 제시하기보다는 장례 관리자 이상의 역할을 못하고 있는 것이다. 이런 식으로 일상화하다 보니, '종교' 라는 것에 무언가 초월적이고 특수한 의미를 부과하는 일본인이 스스로를 '무종교' 라고 말하는 풍토는 자연스러워졌다.

물론 이것은 어제오늘의 일만은 아니다. 예로부터 일본인에게 종교는 늘 그래왔던 것처럼 삶 밖에 있는 것이 아니다. 고대의 불교나 유교가 그랬고, 근대의 서양문명이 그랬듯이, 새로운 문명이 수입되어도 그것을 전통적인 정서에 어울리게 변용해 적절히 향유할 수 있으면 충분하다고 느낀다. 종교가 '최상의[宗] 가르침[敎]' 으로서보다는, 일상의 풍요를 긍정하고 정당화해 주는 근거로 느껴지고 작용하면서, 현세주의적 종교성이 강화되어 가고 있는 것이다.

일본 동네 곳곳마다 신사는 물론 사찰이 없는 곳이 없고, 대부분의 사찰은 자연스럽게 일종의 공동묘지를 두고 있다. 어느 동네에 살든, 어느 동네를 걷든, 사찰에서 공동의 묘지를 보게 되는 것은 자연스럽다. 그런 점에서 한국인에 비해 죽음을 비교적 자연스럽게 받아들일 준비가 되어 있다는 주장에도 무리는 없겠다. 그만큼 종교적일 수 있는 가능성도 커지는 셈이다. 이런 식으로 세속적이면서도 그런 세속성의 형식 안에 종교적 양상을 이어가는 모습에서 일본인의 세속성과 그 속에 담긴 문화화한 종교성을 동시에 읽을 수 있는 것이다.

19.

| 나가는 말 |

평범한 개인, 비범한 사회

평범한 개인, 전통의 지속

일본에 잠시라도 살아 보면 느낄 법한 일이지만, 일본은 한국에 비해 서양 문화에 훨씬 개방적이면서도 전통적 사유방식과 문화는 더 잘 유지·보존되고 있다. 한국과는 달리, 개화기 일본에서 서양식 근대는 '무질서' 한 데 비해 일본적 전근대는 '질서' 적인 것이었다. 일본적 전통은 버려지기보다는 지켜져야 할 것이라는 인식의 폭이 한국보다 훨씬 컸다. 서양의 근대적 무질서를 일본의 전근대적 질서 속에 편입시켜온 것이 일본의 근대화였으니, 이른바 '근대' 의 개념이 한국과는 반대로 해석되어 온 셈이다.

그리고 또 하나, 일본 사회에서 좀 더 두드러지는 특징이 있다면 평범지향적 성향이다. 전체적인 흐름에 보조를 맞추면서 개인적으로 '튀지 않는' 성향을 말한다. 악한 일은 물론 심지어 선한 일에서조차 두드러지지 않으려는 마을 행사마저 있을 정도로 전체 내지 집단적 흐름을 중시하는 것이 일본적 특성이다. 일본은 한국에 비해 사람이 많은 전철이나 버스에서 노인에게 자리를 양보하는 젊은이가 거의 없지만, 이것 역시 젊은이들이 그저 무례해서라기보다는 자리를 양보하면서 받을 주위의 시선이 부담스럽게 느껴지는 탓이 더 크다고 해석하는 편이 옳을 것 같다.

비범한 집단, 깔끔한 일처리

다른 예를 들어 보자. 내가 머물던 도쿄의 숙소에 인터넷을 신청하고서 이용할 수 있게 되기까지 열흘 이상이 걸렸다. 전화 한 통화면 당일에 바로 인터넷을 쓸 수 있게 되는 한국과는 달리, 개통하기까지 꼬박 열흘 이상 걸린 것은 일본의 인터넷 기술이 한국만 못해서가 아니다. 그보다는 여러 절차들을 꼼꼼히 확인하고 나서야 일이 진행되는 집단주의적 작업 문화 때문이다. 동네 골목의 땅을 파고 간단한 상수도 보수 공사를 할 때도 공사 장소와 연결된 골목 끝마다 그 길로 들어설 자동차나 사람을 안내하기 위한 인부가 어김없이 배치되어 있다. '공사중' 이라는 팻말 하나 만 세워 놓고는 두세 사람이 현장에서만 작업하다가 그 길로 들어선 자동차를 투덜거리며 돌아가게 만드는 한국과는 달리, 일본에서는 작은 공사 하나에도 한국보다 몇 배 이상 되는 사람이 매달려 작업을 한다. 당연히 처리 속도와 외형적 능률은 떨어질지 모르지만, 여러 명의 힘이 들어간 만큼 일 자체는 확실하게 마무리할 수 있게 되는 것이다. 상대적으로 긴 시간을 필요로 하는 이런 작업 문화가 한국인의 눈에는 다소 답답하게 느껴질 수 있겠지만, 그 대신 매사가 어설픈 데 없이 깔끔하게 마무리된다. 이런 과정을 종종 지켜보면서 '이것이 일본이구나' 는 생각을 여러 차례 했다. 이런 식으로, 특히 공식적인 일일수록 개인이 책임지거나 처리하기보다는 집단적으로 도모하는 작업 문화가 일상화되어 있다. 집단적으로 움직이다 보니 개개인은 그저 평범한 소시민처럼 보이지만, 그 개인들이 모인 집단의 힘은 훨씬 크게 느껴지는 나라가 일본이다. 개인의 튀는 능력보다는 집단적 조화를 더 중시하는 일본은 "모난 돌이 정 맞는다"는 속담이나 "백지장도 맞드는 것이 낫다"는 속담이 정확히 들어맞는 사회라고 할 수 있다.

츠루가오카 하치만구(가마쿠라 소재)에 걸린 각종 기원문들. 대부분 진학, 취업, 건강, 안전 등 지극히 일상적인 염원들이 담겨 있다.

일본적 선악관과 신관

이는 일본인의 선악관과도 연결된다. 이 책 3장에서 깨끗함을 선으로, 더러움을 악으로 간주하는 일본적 정서에 대해 간단히 살펴본 바 있는데, 이 가운데 더러움, 즉 '악'이라는 것을 사회적 차원에서 해석하자면 그것은 전체의 조화를 깨는 행동이나 다름없다. 사회적 조화를 무너뜨리는 일은 일종의 악이다. 그래서 기존 흐름을 이어가는 것은 '선'까지는 아니더라도 적어도

'악' 은 아니다. 전후 일본 정권이 자민당을 중심으로 50여 년 가까이 바뀌지 않고 있는 것도,* 대체로 변화보다는 기존 흐름을 이어가고 안정을 추구하는 성향, 흐름을 깨는 개인 특유의 목소리는 별로 들리지 않는 성향과 연결된다. 개인보다는 공동체적 질서를 존중하는 이러한 오랜 분위기가 평범지향적 성향으로 나타나는 것이다. 이것은 일본적 종교성에도 적용된다.

모든 이가 다 그런 것은 아니지만, 일본인에게 신(神)은 대체로 일상을 좀 더 풍요롭게 해 주도록 요청된 존재와 같다. 일본인은 종교적인 차원에서도 화려한 신전이나 섬세한 교리보다는 생활에 밀착된 신을 즐겨 찾았고, 일상사를 좀 더 활력 있게 하는 것이면 충분한 종교적 대상 내지 행위로 인식했다. 게다가 이 신은 태초부터 존재하던 자연 안에서 그 자연과 어우러져 왔기에, 자연물과 별개의 존재가 아니거나, 때로는 자연 그 자체이기도 했다. 이러한 신관 속에서 자연적인 질서를 넘어서지 않는 일상적 종교성이 성립되어 온 것이다.

당연히 신의 역할도 일상적 평범성과 연결된다. 일본인이 '초월'이라는 말이나 일상 '너머' 의 세계를 어색해하는 것도, 일상이나 자연 안에서 신적 감수성을 느끼면서 구체적 인간의 삶과 교감해 오던 데에 기인한다. '사람이 좋아하는 것은 신도 좋아한다' 는 속설도 그래서 생겨났으며, 굳이 일상적 가치를 넘어서지 않으려는 데서 일본인의 평범지향성도 생겨났다고 할 수 있다. 이런 속설은 일차적으로는 신령계를 현세적 질서의 연장처럼 파악한다는 뜻이지만, 신이 일상을 풍요롭게 해 주는 존재이기를 바라는 일본인의 정서를 잘 반영하는 말이라고 하겠다.

시스템 중심의 사회

일본인의 평범지향성은 전통을 유지하고 현실을 지속해 가는 성향의 다른 표현이기도 하다. 일본 사회 내지 문화와 관련하여 중요한 것은 개성보다는 집단의 조화를 중시하는 쪽으로 나타난다는 점이다. 그것이 일본 사회를 움직이는 힘으로 작용한다. 그런 점에서 일본 사회는 확실히 시스템 중심의 사회이다. 일본인은 일본이라는 거대 공장을 굴리는 작은 톱니바퀴 혹은 나사의 역할을 한국인에 비해 훨씬 잘 해내는 것으로 보인다.

반대로 한국은 작은 톱니바퀴나 나사들이 간혹 삐걱거린다. 저마다 제 소리를 내는 경향이 일본에 비해 강하다. 그래서인지 한국은 '목소리 큰 사람이 이기는 사회' 라고도 한다. 대통령이 잘못하면 즉각 비판의 화살을 퍼붓고, 언론의 분위기도 일본에 비하면 확실히 소란스럽다. 그러나 대통령도 정치인도 언론도 그러한 한국적 상황을 적절히 이용하며 스스로를 방어하기 때문에 여러 목소리들이 소란스럽게 돌출되는 상황은 잘 개선되지 않는다. 목소리 큰 사람이 한때 상황을 제압했다가 다른 상황을 만나면 숨어 있는 목소리가 솟아오르는 형국이 반복되고 있는 것이다.

그럼에도 불구하고 긍정적으로 평가하자면 전반적으로 조용한 일본 사회에 비해 한국 사회는 확실히 더 역동적이다. 무언가 살아 있다는 느낌도 든다. 비유하건대 일본이 '재미없는 천국' 이라면 한국은 '재미있는 지옥' 과 같다고나 할까. 한국이 개성 있는 나라인 것은 분명하다. 흔히 이런 한국 사회 내지 문화적 양상을 한국인의 타고난 기질로 해석하기도 한다. 한국인은 태생적으로 합리적이기보다는 감성적이고, 분석적이기보다는 감각적인 민족이라는 것이다. 현상적으로 보자면 일면 맞는 말이다.

일본에서 한국을 바라보며

그러나 사회적 차원에서 바꾸어 말하면 이것은 한국이 아직 시스템이 갖추어 지지 않은 사회라는 뜻도 된다. 목소리 큰 사람이 이긴다는 말은 한국 사회가 목소리를 크게 내도록 만드는 상황에 늘 처해 있다는 뜻이기도 하다. 사회나 집단이 안정적으로 돌아가는데 굳이 목소리를 크게 낼 이유가 있겠는가. 그런 점에서 한국을 두고 역동적인 사회라며 긍정적인 평가를 내릴 수도 있겠지만, 역설적이게도 그것은 한국이 아직 다소 불안정한 시스템의 사회라는 것을 의미한다고도 할 수 있다. 한국에는 이들 두 가지 측면이 다 들어 있는 것이다.

한국 사회는 앞으로 어떻게 흘러갈까. 개인의 넘치는 개성이 전체의 조화 속에서 살아나는 사회가 될 수 있으면 좋겠다는 생각이다. 그리고 반대로 일본은 안정된 사회 시스템 속에서도 개인적 역동성까지 함께 살아나는 사회였으면 좋겠다는 생각도 마찬가지로 든다. 이 모든 것은 평상시 관심을 가지고 있던 나라 일본에서 바다 건너 한국을 바라보며 들었던 솔직한 생각들이다.

* 2009년 7월 현재 경제적 위기와 빈곤한 정치력으로 인해 연립여당(자민당과 공명당)의 지지율이 사상 최저의 수준으로 떨어져, 전후 처음으로 제일 야당인 민주당으로 정권교체가 이루어질 가능성이 그 어느 때보다 높아진 상황이다.

일본사 연표

일본 전체 역사상 중요한 사실을 기반으로 하되, 본서에서 다루는 종교사적 사례들을 간단하게 반영하며 작성했다.

조몬(繩文) 시대	기원전 8000년 경~기원전 300년 경
	새끼줄 문양(繩文)의 두텁고 무른 토기가 출토되면서 붙여진 이름

야요이(彌生) 시대	기원전 300년~기원후 300년 경
1884	도쿄 야요이 지역의 패총에서 토기가 출토되면서, 야요이식 토기를 사용한 시대라는 뜻으로 명명

야마토(大和) 시대	4세기~710년
	긴키(近畿, 오늘날의 나라 지역) 지방의 야마토(大和)를 중심으로 국가 체계가 수립된 시기. 이 가운데 오늘의 나라 남부에 해당하는 아스카(飛鳥)에서 국가적 기강이 확립되었던 시기를 아스카 시대(592~710)라 명명하며 구분하기도 한다.
538	백제에서 불교 전래
574~622	쇼토쿠 태자(聖德太子) 섭정기
645	다이카 가이신(大化改新)이라는 정치 개혁 단행. '다이카(大化)' 라는 연호 제정

나라(奈良) 시대	710년~794년
	겐메이(元明) 천황이 나라로 천도한 뒤 중앙집권적 정치 제도가 완성된 시기
607	호류지(法隆寺) 건립
712	일본 최초의 역사서인 『고지키(古事記)』 편찬
720	『니혼쇼키(日本書紀)』 편찬
752	도다이지(東大寺)의 다이부츠(大佛) 완성

헤이안(平安) 시대	794년~1193년
794	간무(桓武) 천황이 헤이안쿄(平安京, 오늘의 교토)로 천도하면서 시작된 시기. 중국 당나라의 문화적 영향을 많이 받았다.
804~	엔랴큐지(延暦寺) 건립. 사이초(最澄, 767~822)가 당나라에서 불교의 천태(天台) 사상 도입. 천태종 시작. 구카이(空海, 774~835)가 당에서 불교의 밀교(密教) 도입. 진언종(眞言宗) 시작

가마쿠라(鎌倉) 시대	1192년~1336년
	미나모토 요리토모(源頼朝)가 실권을 장악한 뒤 오늘날 가마쿠라(도쿄 서남부)에 세운 군사 정부[幕府] 시기
1175~	호넨(法然, 1133~1212)이 정토종(淨土宗) 개종(開宗). 신란(親鸞, 1173~1262), 도겐(道元, 1200~1253), 니치렌(日蓮, 1222~1282) 등 출중한 승려들 활동

무로마치(室町) 시대	1336년~1573년
	아시카가다카우지(足利尊氏)가 무로마치(室町, 교토)에

	새 정부를 연 뒤, 오다 노부나가(織田信長)에 의해 멸망할 때까지의 시기. 혼돈기였던 만큼 시대와 명칭을 명확하게 표기하기 쉽지 않다. 그에 따라 무로마치 시대는 다시 여러 이름으로 불리우는데, 가령 남조(大覺寺統, 나라)와 북조(持明院統, 교토)가 다투던 시기를 남북조(南北朝) 시대(1338~1392)라 하고, 11년간 지속된 '오닌(應仁)의 란'으로 교토가 황폐해지다가 오다 노부나가의 패권이 확고해진 시기를 센고쿠 시대(戰國時代, 1477~1573)라고 하며, 당대 최고의 쇼군인 오다 노부나가와 도요토미 히데요시가 지은 성의 이름을 딴 아즈치모모야마 시대(安土桃山, 1568~1600)라는 표현을 쓰기도 한다.
1549	가톨릭 선교사 프란치스코 자비에르가 규슈(九州) 지역에 도착. 가톨릭 신자 증가
1587	도요토미 히데요시가 가톨릭 신부추방령 선포

에도(江戸) 시대	1603년~1868년
	관동지방을 거점으로 하던 도쿠가와 이에야스(德川家康)가 1600년 세키가하라(關が原) 전투에서 도요토미 히데요시 추종 세력에 승리한 후 에도(江戸, 오늘의 도쿄)에 연 정부(에도 바쿠후) 시기
1607	조선에서 통신사 파견 교류 시작
1640	가톨릭 선교를 억제하기 위한 방책으로 개인의 신상을 사찰에 등록하게 하는 종문개 제도(宗門改制度) 실시
1661~1672	불교를 통제하면서 그리스도교를 탄압하기 위한 단가 제도(檀家制度) 시행
1838	근대적 의미의 신종교인 덴리교(天理教) 출현

메이지(明治) 시대	1868년~1912년
	에도 시대 말기에 이르러 군사정부의 무능이 드러나자, 그동안 종이호랑이나 다름없었던 천황을 옹립하여 새로운 국가체제를 이루려는 개혁적 하급 무사들의 혁명적 움직임(메이지 유신)으로 태동한 메이지 천황 시대. 15대 쇼군(將軍)이었던 도쿠가와 요시노부(德川慶喜)가 모든 권력을 메이지 천황에게 이양했다.
1868	불교 도입 이래 습합되어 오던 신도와 불교를 분리시켜[神拂分離令] 사실상 신도를 국교화
1869	메이지 유신기에 죽은 이들을 제사하기 위한 도쿄 초혼사(東京招魂社) 창건
1879	도쿄 초혼사를 야스쿠니 신사(靖國神社)로 개칭

다이쇼(大正) 시대	1912년~1926년
1914~18	제1차 세계 대전 참전

쇼와(昭和) 시대	1926년~1989년
1945	제2차 세계 대전 패전
1946	천황의 인간 선언
1947	일본국 헌법(이른바 평화헌법) 시행
	소카가카이(創價學會, 1930~), 릿쇼코세이카이(立正佼成會, 1938~) 등 신종교 성장

헤세(平成) 시대	1989년~현재

더 읽을 만한 책들

본서만으로는 아쉽다고 느낄 만한 독자를 위해 좀 더 구체적으로 일본 종교문화를 소개하고 있는 적절하면서도 비교적 쉬운 책들을 추려 보았다. 일본 문화의 일단을 살필 수 있는 출중한 일본 사상서들도 제법 출판되어 있지만, 일본의 종교문화와는 거리가 있는 책들, 일반인이 보기에는 다소 전문적이거나 방대하거나 내용상 좀 딱딱하게 느껴지는 책들은 제외했으며, 해당 분야 우리말 참고서가 영 없는 경우는 일본어 원서를 소개했다.

• • 1장~2장

아마 도시마로(阿滿利麿), 정형 옮김, 『일본인은 왜 종교가 없다고 말하는가』, 예문서원, 2000.

• • 3~6장

박규태, 『일본의 신사』, 살림출판사, 2005.

———, 『아마테라스에서 모노노케 히메까지 – 종교로 읽는 일본인의 마음』, 책세상, 2001.

무라오카 츠네츠구(村岡典嗣), 박규태 옮김, 『일본 신도사』, 예문서원, 1998.

C.스콧 리틀턴(C. Scott Littleton), 박규태 옮김, 『일본 정신의 고향, 신도』, 유토피아, 2005.

오에 시노부(大江志乃夫), 양현혜·이규태 옮김, 『야스쿠니 신사』, 소화, 2001.

高橋哲哉, 『靖國神社』, 東京: 筑摩書房(ちくま新書 532), 2005.

아마 도시마로(阿滿利麿), 정형 옮김, 『천황제 국가 비판 – 일본국가주의와 유사종교의 함정』, 제이앤씨, 2007.
고야스 노부쿠니(子安宣邦), 이승연 옮김, 『귀신론』, 역사비평사, 2006.
마루야마 마사오(丸山眞男), 김석근 옮김, 『일본의 사상』, 한길사, 1998.
한국일본학회 일본연구총서간행위원회 편, 『일본 사상의 이해』, 시사일본어사, 2002.

• • 7~11장

와다나베 쇼코(度邊照宏), 이영자 옮김, 『일본의 불교』, 경서원, 1987.
스에키 후미히코(末木文美士), 이시준 옮김, 『일본불교사: 사상사로서의 접근』, 뿌리와이파리, 2005.
마츠오 겐지(松尾剛次), 김호성 옮김, 『인물로 보는 일본 불교사』, 동국대학교출판부, 2005.
박규태, 『상대와 절대로서의 일본』, 제이앤씨, 2005.
김후련, 『타계관을 통해서 본 고대 일본의 종교 사상』, 제이앤씨, 2006.
이마이 쥰(今井淳) 외 편저, 한국일본사상사학회 옮김, 『논쟁을 통해 본 일본사상』, 성균관대학교출판부, 2001.
무라카미 시게요시(村上重良), 강용자 옮김, 『일본의 종교』, 지만지고전천줄, 2008.
하라 마코토(原誠), 서정민 옮김, 『전시하 일본 기독교사』, 한들출판사, 2009.

• • 12~14장

시마조노 스스무(島薗進), 박규태 옮김, 『현대일본 종교문화의 이해』, 청년사, 1997.
야스마루 요시오(安丸良夫), 이원범 옮김, 『천황제 국가의 성립과 종교변혁』, 소화, 2002.
이원범 편저, 『한국 내 일본계 신종교 운동의 이해』, 제이앤씨, 2007.

이원범, 『한국 속 일본계 종교의 현황』, 대왕사, 2008.
村上重良, 『新宗教, その行動と思想』(岩波現代文庫 G170), 東京: 岩波書店, 2007.

• • 15~16장

가지 노부유키(加地伸行), 이근우 옮김, 『침묵의 종교, 유교』, 경당, 2002.
————, 김태준 옮김, 『유교란 무엇인가』, 지영사, 1996.
三浦龍, 『日本人の祭りと呪い』, 東京: 青春出版社, 2008.

• • 17~19장

니토베 이나조(渡戸稲造), 권만규 · 양경미 옮김, 『일본의 무사도』, 생각의 나무, 2006.
笠谷和比古, 『武士道, サムライ精神の言葉』, 東京: 青春出版社, 2004.
고야스 노부쿠니(子安宣邦), 김석근 옮김, 『일본근대사상비판 – 국가 · 전쟁 · 지식인』, 역사비평사, 2007.
아마 도시마로(阿満利麿), 정형 옮김, 『일본인은 왜 종교가 없다고 말하는가』, 예문서원, 2000.

• • 그밖에 일본의 종교 문화와 사상을 주제별로 간단하게 다루고 있는 책들

윤상인 외, 『일본을 강하게 만든 문화코드 16』, 나무와 숲, 2000.
나가오 다케시(長尾剛), 박규태 옮김, 『일본 사상 이야기 40』, 예문서원, 2002.
고이케 나가유키, 『종교를 알아야 일본을 안다』, 이상경 옮김, 철학과 현실사, 1997.

일본정신

등 록 1994.7.1 제1-1071
인 쇄 2009년 9월 15일
발 행 2009년 9월 25일

지은이 이찬수
펴낸이 박길수
편집인 소경희
디자인 이주향
마케팅 위현정
펴낸곳 도서출판 모시는사람들
110-775 서울시 종로구 경운동 수운회관 1207호
전 화 02-735-7173, 02-737-7173 / 팩스 02-730-7173

출 력 삼영그래픽스(02-2277-1694)
인 쇄 (주)상지피엔비(031-955-3636)
배 본 문화유통북스(031-937-6100)
홈페이지 http://www.donghakbook.com

값은 뒤표지에 있습니다.

ISBN 89-90699-75-6